#연산반복학습
#생활속계산
#문장읽고계산식세우기
#학원에서검증된문제집

수학리더
연산

Chunjae
Makes
Chunjae

▼

기획총괄	박금옥
편집개발	지유경, 정소현, 조선영, 원희정,
	최윤석, 김선주, 박선민
디자인총괄	김희정
표지디자인	윤순미, 박민정
내지디자인	박희춘
제작	황성진, 조규영
발행일	2021년 10월 15일 초판 2021년 10월 15일 1쇄
발행인	(주)천재교육
주소	서울시 금천구 가산로9길 54
신고번호	제2001-000018호
고객센터	1577-0902
교재 구입 문의	1522-5566

수학 리더

연산 예비초-A

차례

이 책의 구성과 특징

이번에 배울 내용을 알아볼까요?

공부할 내용을 만화로 재미있게 확인할 수 있습니다.

기초 계산 **연습**

계산 원리와 방법을 한눈에 익힐 수 있고 계산 반복 훈련으로 확실하게 익힐 수 있습니다.

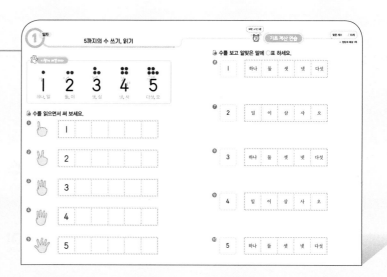

플러스 계산 **연습**

다양한 형태의 계산 문제를 반복하여 완벽하게 익힐 수 있습니다.

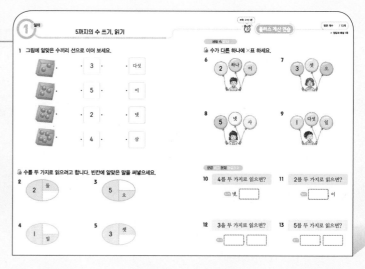

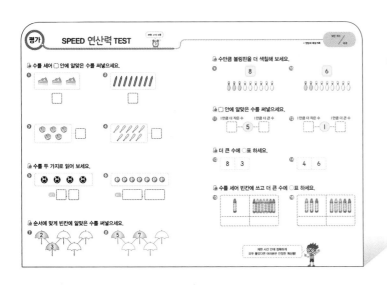

평가 SPEED 연산력 TEST

배운 내용을 테스트로 마무리 할 수 있습니다.

특강 문장제 문제 도전하기

단순 연산 문제와 함께
문장제 문제도 연습할 수
있습니다.

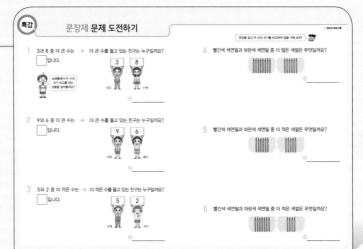

특강 창의 · 융합 · 코딩 · 도전하기

요즘 수학 문제인 창의 · 융합 · 코딩
문제를 수록하였습니다.

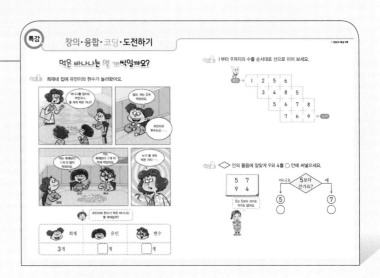

9까지의 수

 실생활에서 알아보는 재미있는 수학 이야기

이번에 배울 내용 을 알아볼까요?

5까지의 수 쓰기, 읽기

이렇게 해결하자

1	2	3	4	5
하나, 일	둘, 이	셋, 삼	넷, 사	다섯, 오

🐻 수를 읽으면서 써 보세요.

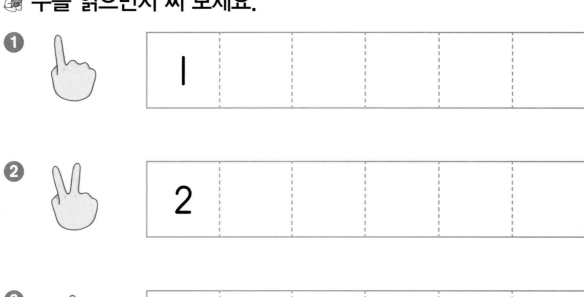

🐻 수를 보고 알맞은 말에 ○표 하세요.

❻

| 1 | 하나 | 둘 | 셋 | 넷 | 다섯 |

❼

| 2 | 일 | 이 | 삼 | 사 | 오 |

❽

| 3 | 하나 | 둘 | 셋 | 넷 | 다섯 |

❾

| 4 | 일 | 이 | 삼 | 사 | 오 |

❿

| 5 | 하나 | 둘 | 셋 | 넷 | 다섯 |

1

9까지의 수

5까지의 수 쓰기, 읽기

1 그림에 알맞은 수끼리 선으로 이어 보세요.

 •

• 3 •

• 다섯

 •

• 5 •

• 이

 •

• 2 •

• 넷

 •

• 4 •

• 삼

수를 두 가지로 읽으려고 합니다. 빈칸에 알맞은 말을 써넣으세요.

2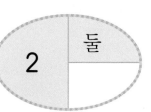

3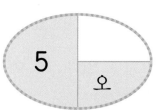

4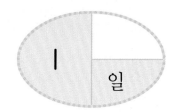

5

생활 속 문제

🐻 수가 **다른** 하나에 ✕표 하세요.

6

7

8

9

문장 읽고 문제 해결하기

10 4를 두 가지로 읽으면?

읽기 넷, ☐

11 2를 두 가지로 읽으면?

읽기 ☐ , 이

12 3을 두 가지로 읽으면?

읽기 ☐ , ☐

13 5를 두 가지로 읽으면?

읽기 ☐ , ☐

5까지의 수 세기

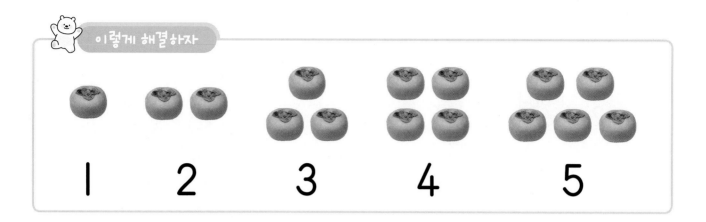

| 1 | 2 | 3 | 4 | 5 |

🐻 과일의 수를 세어 알맞은 수에 ○표 하세요.

1

| 1 | 2 | 3 | 4 | 5 |

2

| 1 | 2 | 3 | 4 | 5 |

3

| 1 | 2 | 3 | 4 | 5 |

4

| 1 | 2 | 3 | 4 | 5 |

기초 계산 연습

🐻 채소의 수를 찾아 선으로 이어 보세요.

⑤

• 2
• 3
• 1

⑥

• 1
• 2
• 3

⑦

• 4
• 2
• 3

⑧

• 4
• 5
• 3

⑨

• 3
• 2
• 1

⑩

• 4
• 3
• 5

5까지의 수 세기

🐻 사과의 수를 세어 ☐ 안에 알맞은 수를 써넣으세요.

1

☐

2

☐

3

☐

4

☐

🐻 빵의 수를 세어 ☐ 안에 알맞은 수를 써넣으세요.

5

☐

6

☐

7

☐

8

☐

생활 속 문제

🐻 컵의 수를 세어 보세요.

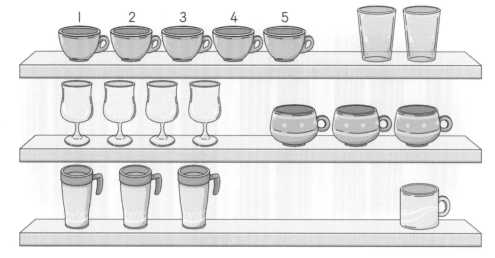

| 1 | 2 | 3 | 4 | 5 |

9  →

10 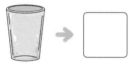 →

11 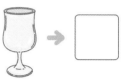 →

12  →

13  →

14  →

문장 읽고 문제 해결하기

15

당근을 먹고 있는 토끼는 몇 마리?

[　] 마리

16

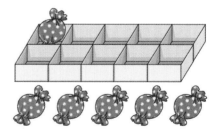

상자 밖에 있는 사탕은 몇 개?

[　] 개

5까지의 수만큼 색칠하기

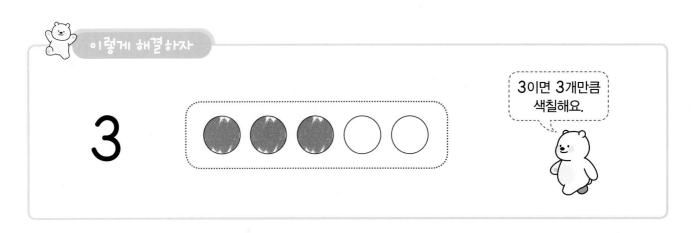

3이면 3개만큼 색칠해요.

🐻 수만큼 색칠해 보세요.

❶ 4

❷ 2

❸ 3

❹ I

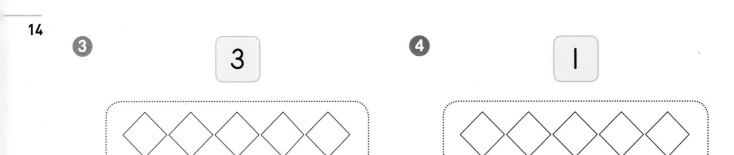

❺ 5

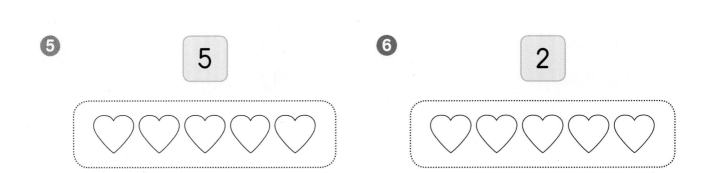

❻ 2

1

9까지의 수

🐻 동물의 수만큼 색칠해 보세요.

7

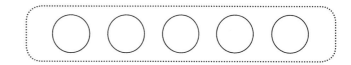

8

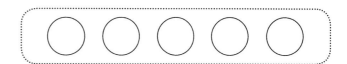

9

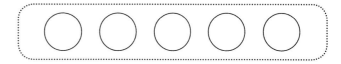

10

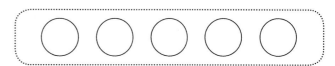

11

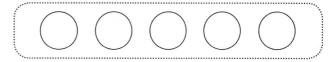

1

9까지의 수

15

5까지의 수만큼 색칠하기

🐻 비행기의 수만큼 ◯를 그리고 ☐ 안에 알맞은 수를 써넣으세요.

1
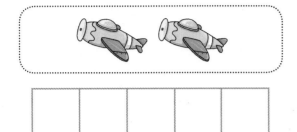

2
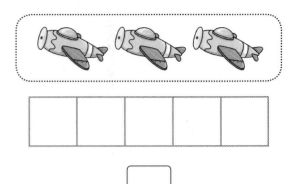

3
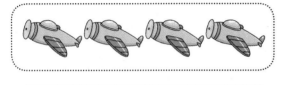

4
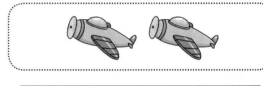

5
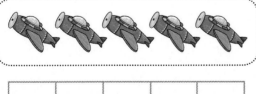

6

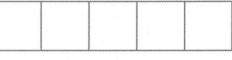

생활 속 문제

🐻 수만큼 종이배를 더 색칠해 보세요.

7

3

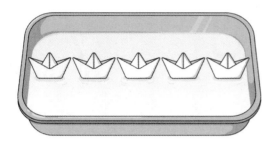

8

4

9

5

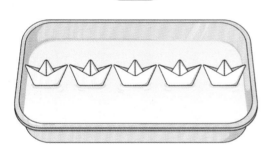

10

4

문장 읽고 문제 해결하기

11

빨간색으로 색칠한 구슬은
몇 개?

□ 개

12

연두색으로 색칠한 구슬은
몇 개?

□ 개

9까지의 수 쓰기, 읽기

이렇게 해결하자

여섯, 육   일곱, 칠   여덟, 팔   아홉, 구

수를 읽으면서 써 보세요.

1
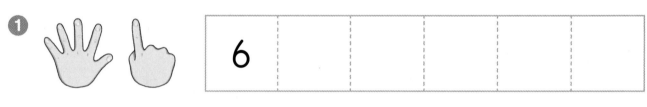

2

3

4

수를 보고 알맞은 말에 ◯표 하세요.

5

| 6 |

| 여섯 | 일곱 | 여덟 | 아홉 |

6

| 7 |

| 육 | 칠 | 팔 | 구 |

7

| 8 |

| 여섯 | 일곱 | 여덟 | 아홉 |

8

| 9 |

| 육 | 칠 | 팔 | 구 |

9

| 7 |

| 여섯 | 일곱 | 여덟 | 아홉 |

10

| 6 |

| 육 | 칠 | 팔 | 구 |

9까지의 수 쓰기, 읽기

1 그림에 알맞은 수끼리 선으로 이어 보세요.

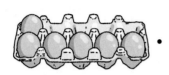 · · 8 · · 아홉

 · · 7 · · 육

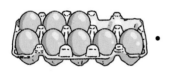 · · 9 · · 일곱

 · · 6 · · 팔

1
9까지의 수

🐻 수를 두 가지로 읽으려고 합니다. 빈칸에 알맞은 말을 써넣으세요.

2  6 여섯

3 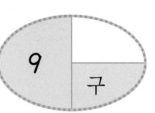 9 구

4  8 여덟

5  7 칠

플러스 계산 연습

생활 속 문제

🐻 수가 <u>다른</u> 하나에 ✕표 하세요.

6

7

8

9

문장 읽고 문제 해결하기

10 8을 두 가지로 읽으면?

읽기 여덟, ☐

11 6을 두 가지로 읽으면?

읽기 ☐, 육

12 9를 두 가지로 읽으면?

읽기 ☐, ☐

13 7을 두 가지로 읽으면?

읽기 ☐, ☐

9까지의 수 세기

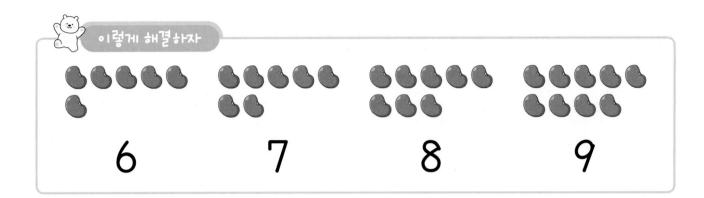

6   7   8   9

채소의 수를 세어 알맞은 수에 ○표 하세요.

①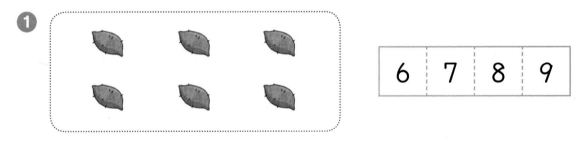

| 6 | 7 | 8 | 9 |

②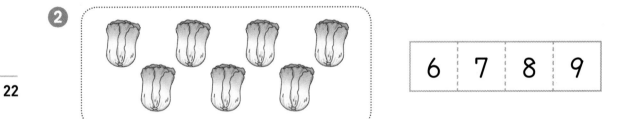

| 6 | 7 | 8 | 9 |

③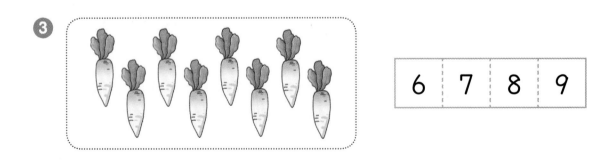

| 6 | 7 | 8 | 9 |

④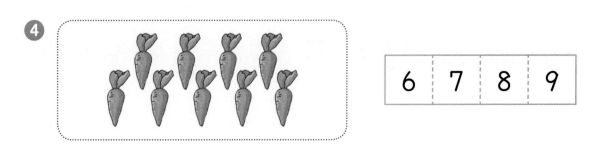

| 6 | 7 | 8 | 9 |

🐻 곤충의 수를 찾아 선으로 이어 보세요.

5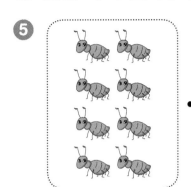

· 6

· 7

· 8

6

· 7

· 9

· 6

7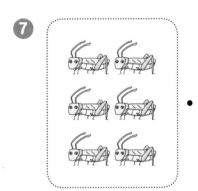

· 6

· 8

· 9

8

· 6

· 7

· 9

9

· 8

· 7

· 9

10

· 7

· 8

· 9

9까지의 수 세기

🐻 색연필의 수를 세어 보고 알맞은 수에 색칠해 보세요.

1 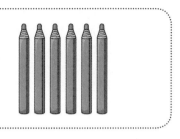 →

6, 7, 8, 9

2 → 6, 7, 8, 9

3 → 6, 7, 8, 9

🐻 물건의 수를 세어 ☐ 안에 알맞은 수를 써넣으세요.

4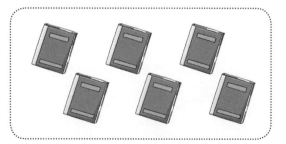

☐

5

☐

생활 속 문제

🧸 학용품의 수를 세어 보세요.

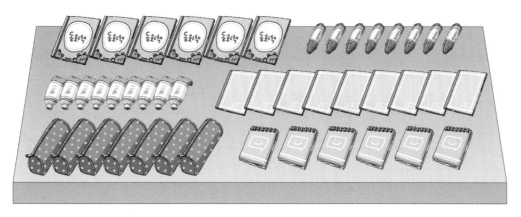

6  → ☐   7  → ☐   8  → ☐

9  → ☐   10  → ☐   11  → ☐

문장 읽고 문제 해결하기

12

얼룩말은 몇 마리?

☐ 마리

13

판다는 몇 마리?

☐ 마리

9까지의 수만큼 색칠하기

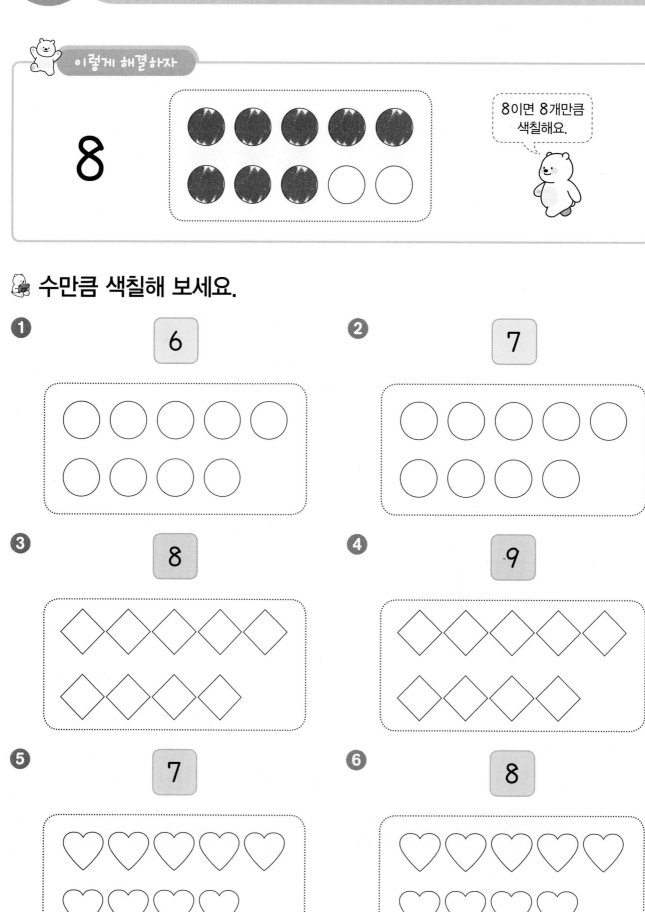

이렇게 해결하자

8

8이면 8개만큼 색칠해요.

🐻 수만큼 색칠해 보세요.

❶ 6

❷ 7

❸ 8

❹ 9

❺ 7

❻ 8

기초 계산 연습

🐻 불이 켜진 전구의 수만큼 색칠해 보세요.

7
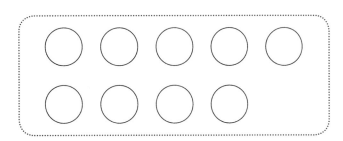

8
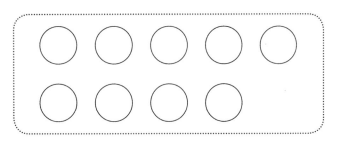

9
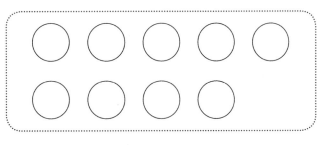

10
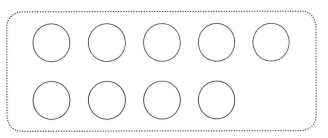

9까지의 수만큼 색칠하기

🐻 과일의 수만큼 ○를 그리고 ☐ 안에 알맞은 수를 써넣으세요.

1
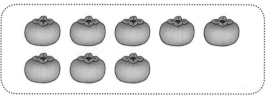

☐

2
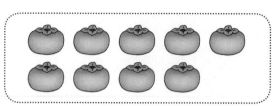

☐

3
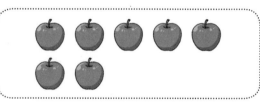

☐

4

☐

5
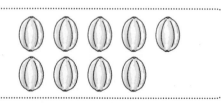

☐

6
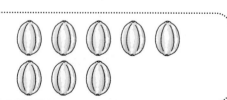

☐

생활 속 문제

🐻 주어진 수만큼 야구공을 더 색칠해 보세요.

7　9

8　7

9　6

10　8

문장 읽고 문제 해결하기

11

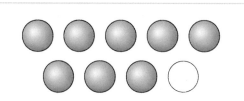

분홍색으로 색칠한 구슬은 몇 개?

　　개

12

노란색으로 색칠한 구슬은 몇 개?

　　개

9까지 수의 순서

| 1 | 2 | 3 | 4 | 5 | 6 | 7 | 8 | 9 |

🐻 순서에 맞게 빈칸에 알맞은 수를 써넣으세요.

❶ 1 — 2 — ☐ — 4 — 5 — 6 — ☐ — 8 — 9

❷ 1 — 2 — 3 — 4 — ☐ — ☐ — 7 — 8 — 9

❸ 1 — ☐ — 3 — 4 — 5 — 6 — ☐ — 8 — ☐

❹ 1 — 2 — 3 — ☐ — ☐ — 6 — 7 — ☐ — 9

❺ ☐ — 2 — 3 — 4 — 5 — ☐ — 7 — 8 — ☐

6

7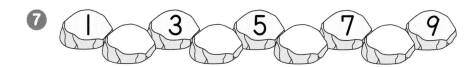

8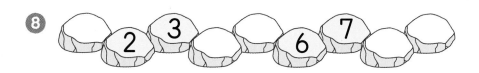

9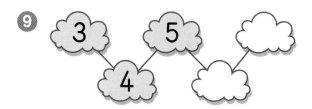

10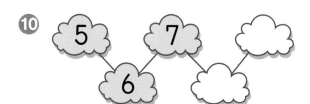

11

12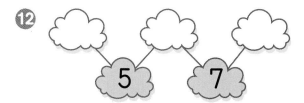

9까지 수의 순서

🐻 1부터 9까지의 수를 순서대로 따라가 보세요.

1

1	2	3
6	5	4
7	8	9

2

1	6	7
2	5	8
3	4	9

🐻 순서를 거꾸로 하여 빈칸에 알맞은 수를 써넣으세요.

3 9 8 ○ 7 ○ 5 ○ ○ 2 1

4 9 8 ○ 6 ○ 4 3 ○ ○

5 9 ○ 7 ○ 5 ○ ○ 2 1

6 ○ 8 ○ 6 ○ 4 ○ 2 ○

플러스 계산 연습

생활 속 문제

🐻 수의 순서대로 선으로 이어 보세요.

7
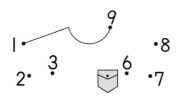

8
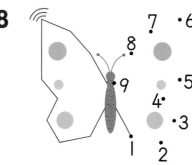

9
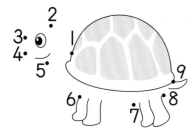

10
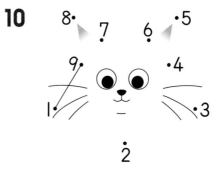

문장 읽고 문제 해결하기

11 | 다음의 수는?

답 _____

12   8 다음의 수는?

답 _____

13   5 다음의 수는?

답 _____

14   4 다음의 수는?

답 _____

1만큼 더 큰 수, 1만큼 더 작은 수

이렇게 해결하자

6 ← |만큼 더 작은 수 ← 7 → |만큼 더 큰 수 → 8

🐻 그림의 수보다 |만큼 더 큰 수를 찾아 ○표 하세요.

① 3 4 5

② 7 8 9

③ 6 7 8

④ 5 6 7

⑤ 1 2 3

⑥ 3 4 5

그림의 수보다 1만큼 더 작은 수를 찾아 ○표 하세요.

7

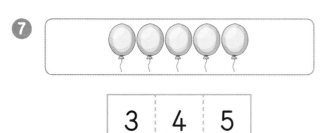

| 3 | 4 | 5 |

8

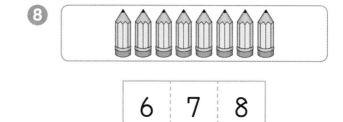

| 6 | 7 | 8 |

9

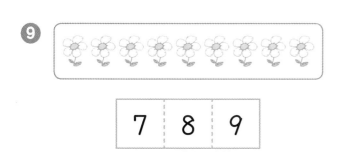

| 7 | 8 | 9 |

10

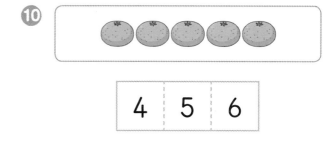

| 4 | 5 | 6 |

11

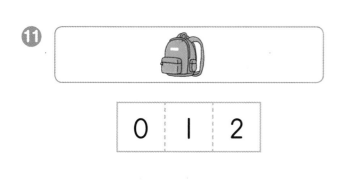

| 0 | 1 | 2 |

아무것도 없는 것을
○이라 쓰고 영이라고
읽어요.

12

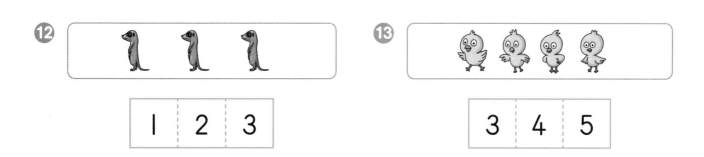

| 1 | 2 | 3 |

13

| 3 | 4 | 5 |

1만큼 더 큰 수, 1만큼 더 작은 수

🧸 수보다 1만큼 더 큰 수가 되게 △를 그리세요.
또, ○ 안에 △의 개수를 써넣으세요.

1

2

3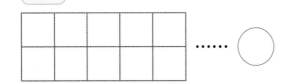

4

🧸 수보다 1만큼 더 작은 수가 되게 △를 그리세요.
또, ○ 안에 △의 개수를 써넣으세요.

5

6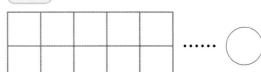

7

8

생활 속 문제

🐻 빵의 수보다 1만큼 더 작은 수를 ☐ 안에 쓰세요.

9  → ☐

10  → ☐

11  → ☐

12  → ☐

13  → ☐

14  → ☐

문장 읽고 문제 해결하기

15 5보다 1만큼 더 큰 수는?

답 _____

16 8보다 1만큼 더 큰 수는?

답 _____

17 1보다 1만큼 더 작은 수는?

답 _____

18 9보다 1만큼 더 작은 수는?

답 _____

더 많은 것, 더 적은 것

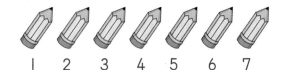

연필은 **7**자루이고 지우개는 **4**개입니다.

7은 **4**보다 크므로 연필은 지우개보다 많습니다.

더 많은 것에 ○표 하세요.

❶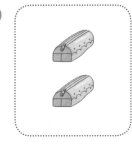

(   )　　　(   )

❷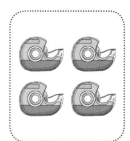

(   )　　　(   )

❸

(   )　　　(   )

❹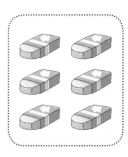

(   )　　　(   )

❺

(   )　　　(   )

❻

(   )　　　(   )

기초 계산 연습

🐻 더 큰 수에 ◯표 하세요.

⑦
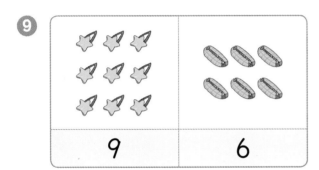

⑧
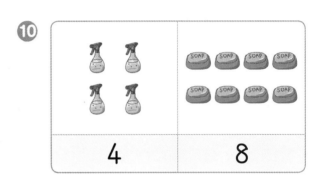

⑨
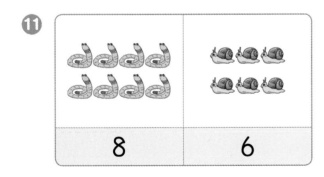

⑩
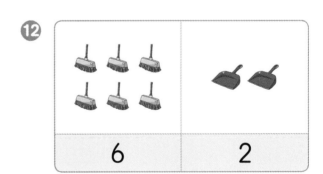

🐻 더 작은 수에 △표 하세요.

⑪
8	6

⑫
6	2

⑬
5	9

⑭
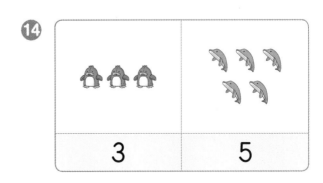

더 많은 것, 더 적은 것

🐻 ⬤ 안의 수보다 더 작은 수에 △표 하세요.

1 ⬤5 → [2 ┊ 6]

2 ⬤6 → [5 ┊ 7]

3 ⬤8 → [7 ┊ 9]

4 ⬤4 → [2 ┊ 8]

🐻 빈칸에 구슬의 수를 세어 쓰고 더 큰 수에 ○표 하세요.

5

6

7

8

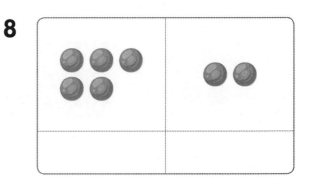

플러스 계산 연습

생활 속 **문제**

🐻 음식의 수를 세어 ☐ 안에 알맞은 수를 써넣고, ○ 안에 더 큰 수를 쓰세요.

9 ⋯⋯ 6, 🍎 ⋯⋯ 4

➡ ○

10 🥛 ⋯⋯ ☐, 🍎 ⋯⋯ 4

➡ ○

11  🍎 ⋯⋯ ☐, 🍩 ⋯⋯ ☐

➡ ○

12  🍣 ⋯⋯ ☐, 🍪 ⋯⋯ ☐

➡ ○

문장 읽고 문제 해결하기

13 　2와 3 중 더 큰 수는?

답 _____

14 　8과 6 중 더 큰 수는?

답 _____

15 　7과 9 중 더 작은 수는?

답 _____

16 　5와 4 중 더 작은 수는?

답 _____

SPEED 연산력 TEST

🐻 수를 세어 ☐ 안에 알맞은 수를 써넣으세요.

❶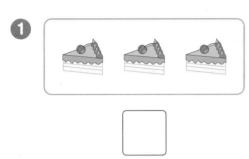

☐

❷

☐

❸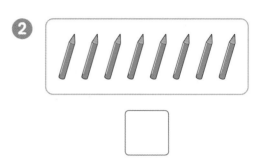

☐

❹

☐

🐻 수를 두 가지로 읽어 보세요.

❺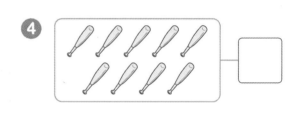

읽기 ☐ , ☐

❻

읽기 ☐ , ☐

🐻 순서에 맞게 빈칸에 알맞은 수를 써넣으세요.

❼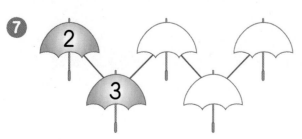
2   3

❽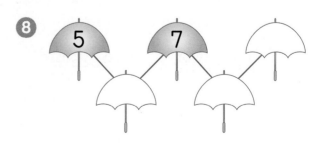
5   7

🐻 수만큼 볼링핀을 더 색칠해 보세요.

⑨
| 8 |

⑩
| 6 |

🐻 ☐ 안에 알맞은 수를 써넣으세요.

⑪ Ⅰ만큼 더 작은 수 ⑤ Ⅰ만큼 더 큰 수

⑫ Ⅰ만큼 더 작은 수 ① Ⅰ만큼 더 큰 수

🐻 더 큰 수에 ○표 하세요.

⑬
| 8 | 3 |

⑭
| 4 | 6 |

🐻 수를 세어 빈칸에 쓰고 더 큰 수에 ○표 하세요.

⑮
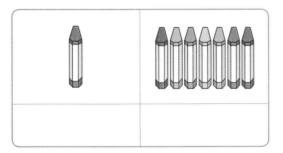

⑯
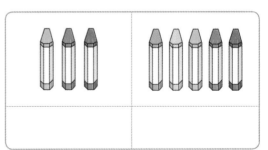

문장제 문제 도전하기

1 3과 8 중 더 큰 수는 ⇨ 더 큰 수를 들고 있는 친구는 누구일까요?

$\boxed{}$ 입니다.

실생활에서 두 수의 크기 비교를 하는 상황을 알아볼까요?

3   8

정호   수애

답 _____

2 9와 6 중 더 큰 수는 ⇨ 더 큰 수를 들고 있는 친구는 누구일까요?

$\boxed{}$ 입니다.

9   6

기태   헤미

답 _____

3 5와 2 중 더 작은 수는 ⇨ 더 작은 수를 들고 있는 친구는 누구일까요?

$\boxed{}$ 입니다.

5   2

성재   지나

답 _____

문장을 읽고 두 수의 크기를 비교하여 답을 구해 보자!

4 빨간색 색연필과 파란색 색연필 중 더 많은 색깔은 무엇일까요?

답 _____

5 빨간색 색연필과 파란색 색연필 중 더 적은 색깔은 무엇일까요?

답 _____

6 빨간색 색연필과 파란색 색연필 중 더 적은 색깔은 무엇일까요?

답 _____

창의·융합·코딩·도전하기

먹은 바나나는 몇 개씩일까요?

창의1 희재네 집에 유민이와 현수가 놀러왔어요.

 유민이와 현수가 먹은 바나나는 몇 개씩일까?

희재	유민	현수
3개	◻개	◻개

창의 **2** 1부터 9까지의 수를 순서대로 선으로 이어 보세요.

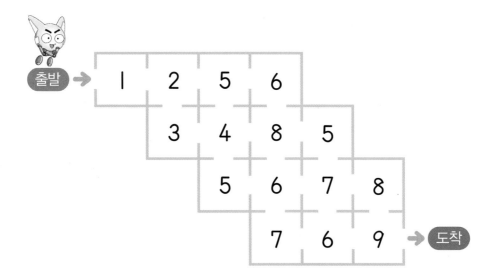

코딩 **3** ◇ 안의 물음에 알맞게 9와 4를 ○ 안에 써넣으세요.

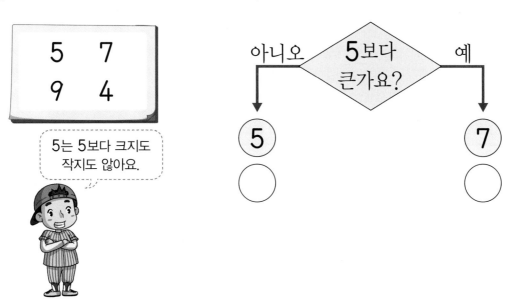

9까지 수의 덧셈

실생활에서 알아보는 재미있는 수학 이야기

이번에 배울 내용을 알아볼까요?

모두 몇 개인지 세어 보기

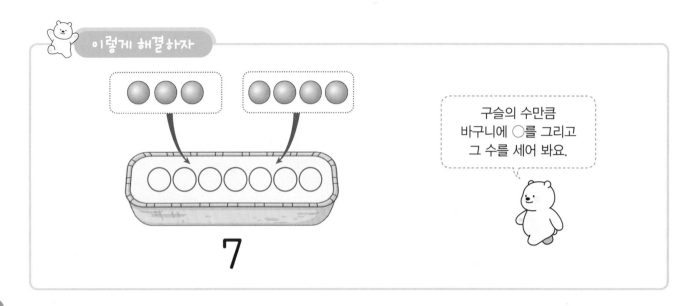

이렇게 해결하자

구슬의 수만큼 바구니에 ○를 그리고 그 수를 세어 봐요.

7

🐻 구슬의 수만큼 바구니에 ○를 그리고 수를 세어 쓰세요.

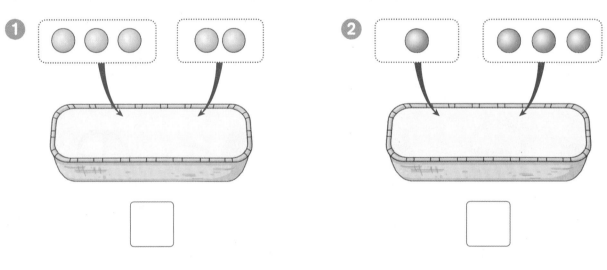

❶

❷

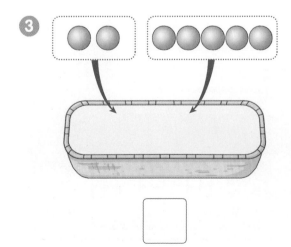

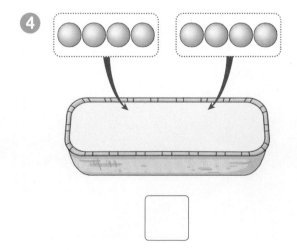

❸

❹

🐻 모두 몇 마리인지 세어 알맞은 수에 ◯표 하세요.

⑤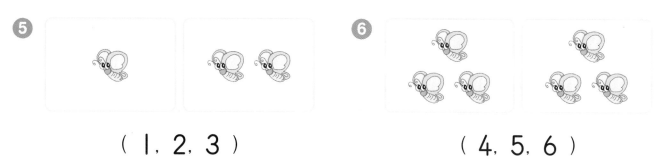

(1, 2, 3)

⑥

(4, 5, 6)

⑦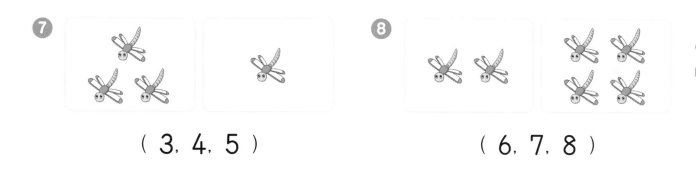

(3, 4, 5)

⑧

(6, 7, 8)

⑨

(7, 8, 9)

⑩

(7, 8, 9)

⑪

(7, 8, 9)

⑫

(7, 8, 9)

2

9까지 수의 덧셈

51

모두 몇 개인지 세어 보기

1 모두 몇 송이인지 세어 선으로 이어 보세요.

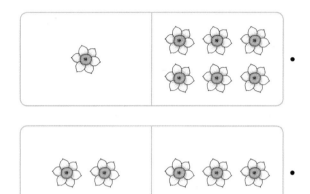

· 5

· 6

· 7

🐻 모두 몇 개인지 세어 수를 쓰세요.

2

3

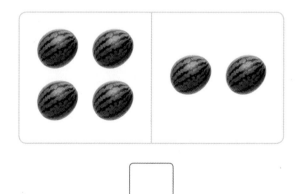

4

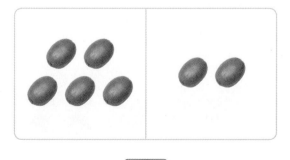

5

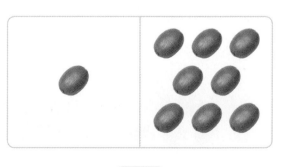

플러스 계산 연습

🐻 상자에 담긴 구슬은 모두 몇 개인지 세어 수를 쓰세요.

6

☐ 개

7

☐ 개

8

☐ 개

9

☐ 개

10 모두 몇 개인지 세어 보면?

☐ 개

11 모두 몇 개인지 세어 보면?

☐ 개

수 모으기

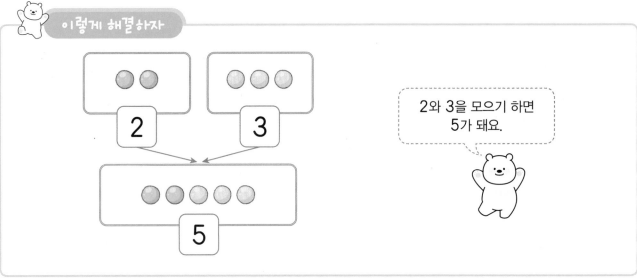

2와 3을 모으기 하면
5가 돼요.

구슬의 수만큼 ◯를 그리고 모으기를 해 보세요.

❶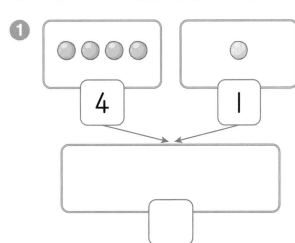

❷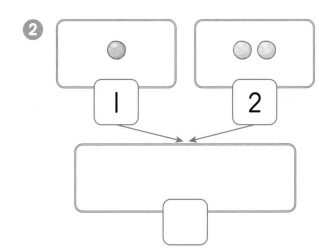

❸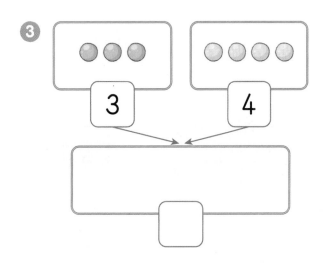

❹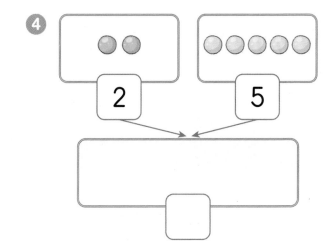

🐻 모으기를 해 보세요.

⑤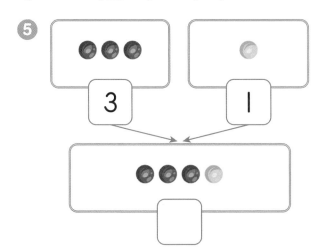

⑥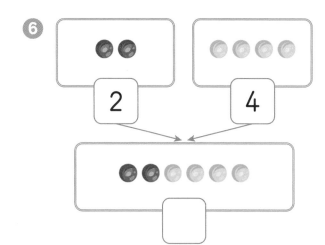

⑦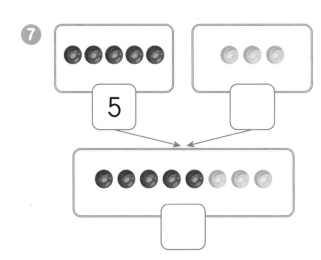

⑧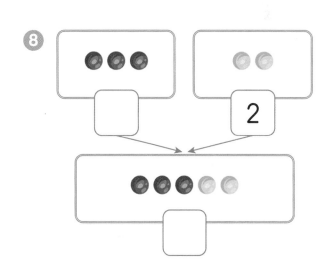

⑨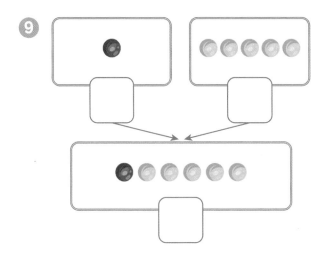

⑩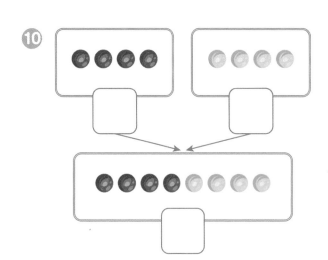

수 모으기

🐻 모으기를 해 보세요.

1

| 1 | 1 |

2

| 6 | 1 |

3

| 4 | 2 |

4

| 3 | 5 |

5

| 2 | 7 |

6

| 4 | 3 |

생활 속 문제

🐻 주사위 눈의 수를 모으기 해 보세요.

7

8

9

10

문장 읽고 문제 해결하기

11 | 과 8을 모으기 하면?

| 1 | 8 |

12 6과 3을 모으기 하면?

| 6 | 3 |

더하기로 나타내기

$3 + 1$ ➡ **3** 더하기 **1**

더하기는 +로 나타내요.

🐻 더하기로 나타내어 보세요.

①

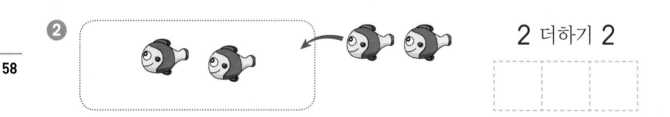

2 더하기 1

| 2 | + | 1 |

②

2 더하기 2

③

1 더하기 3

④

3 더하기 2

5

[1] [+] [2]

6

7

8

9

10

더하기로 나타내기

1 그림에 알맞은 더하기를 찾아 선으로 이어 보세요.

· 3+2

· 4+2

· 4+3

더하기로 나타내고 읽어 보세요.

2    1 + 3 → ☐ 더하기 ☐

3     ☐ ☐ ☐ → ☐ 더하기 ☐

4    ☐ ☐ ☐ → ☐ 더하기 ☐

플러스 계산 연습

생활 속 문제

🐻 동물의 수를 더하기로 바르게 나타낸 것에 색칠해 보세요.

5

$6+1$

$7+1$

6

$3+5$

$4+5$

문장 읽고 문제 해결하기

7

2 더하기 4

	+	

8   3 더하기 3

9

5 더하기 3

10   7 더하기 2

더하기 1

• 1을 더하는 덧셈식

갈습니다는 =로 나타내요.

$$5 + 1 = 6$$

5 더하기 1은 6과 같습니다.

덧셈을 해 보세요.

① 　　$1 + 1 = \boxed{}$

② 　　$2 + 1 = \boxed{}$

③  　　$3 + 1 = \boxed{}$

④  　　$4 + 1 = \boxed{}$

⑤  $3+1=\boxed{}$

⑥  $5+1=\boxed{}$

⑦  $6+1=\boxed{}$

⑧  $\boxed{}+1=\boxed{}$

⑨  $\boxed{}+1=\boxed{}$

⑩  $\boxed{}+1=\boxed{}$

2

9까지 수의 덧셈

63

더하기 1

🐻 덧셈식을 쓰고 읽어 보세요.

1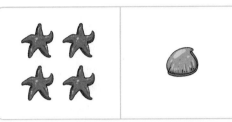

쓰기 4 + 1 = ☐

읽기 4 더하기 ☐ 은 ☐ 와 같습니다.

2

쓰기 6 + ☐ = ☐

읽기 ☐ 더하기 1 은 ☐ 과 같습니다.

🐻 보기 와 같이 색칠하고 덧셈을 해 보세요.

보기

3 + 1 = 4

3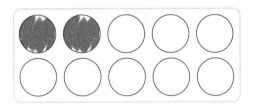

2 + 1 = ☐

4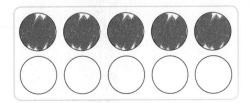

5 + 1 = ☐

5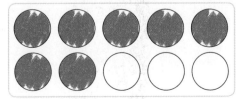

7 + 1 = ☐

생활 속 계산

🐻 그림에 알맞은 덧셈식을 찾아 색칠해 보세요.

6

$3+1=4$

$2+1=3$

7

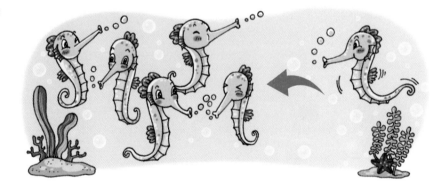

$4+1=5$

$5+1=6$

문장 읽고 계산식 세우기

8

오이 1개와 당근 1개이면
모두 몇 개?

식 $1+1=\boxed{}$ (개)

9

호박 8개와 가지 1개이면
모두 몇 개?

식 $\boxed{}+1=\boxed{}$ (개)

더하기 2

 이렇게 해결하자

- 2를 더하는 덧셈식

 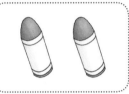

$$1+2=3$$

| 더하기 **2**는 **3**과 같습니다.

덧셈을 해 보세요.

❶

$2+2=\boxed{}$

❷

$3+2=\boxed{}$

❸

$4+2=\boxed{}$

❹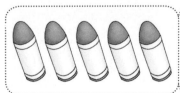

$5+2=\boxed{}$

기초 계산 연습

⑤

$3+2=\boxed{}$

⑥

$6+2=\boxed{}$

⑦

$7+2=\boxed{}$

⑧

$\boxed{}+2=\boxed{}$

⑨

$\boxed{}+2=\boxed{}$

⑩

$\boxed{}+2=\boxed{}$

더하기 2

🐻 덧셈식을 쓰고 읽어 보세요.

1

쓰기 1 + 2 = ☐

읽기 1 더하기 ☐ 는 ☐ 과 같습니다.

2

쓰기 7 + ☐ = ☐

읽기 ☐ 더하기 2는 ☐ 와 같습니다.

🐻 보기 와 같이 ○를 그리고 덧셈을 해 보세요.

보기

3 + 2 = 5

○ ○ ○ ○ ○

3 2 + 2 = ☐

○ ○

4 4 + 2 = ☐

○ ○ ○ ○

5 6 + 2 = ☐

○ ○ ○ ○ ○
○

생활 속 계산

🐻 그림에 알맞은 덧셈식을 찾아 색칠해 보세요.

6

$4+2=6$

$3+2=5$

7

$6+2=8$

$5+2=7$

2

9까지 수의 덧셈

69

문장 읽고 계산식 세우기

8 사탕 4개와 젤리 2개이면 모두 몇 개?

식 $4+2=\boxed{}$ (개)

9 초콜릿 7개와 껌 2개이면 모두 몇 개?

식 $\boxed{}+2=\boxed{}$ (개)

더하기 3, 4

이렇게 해결하자

• 3을 더하는 덧셈식

$$1 + 3 = 4$$

1 더하기 3은 4와 같습니다.

덧셈을 해 보세요.

①

$$2 + 3 = \boxed{}$$

②

$$3 + 3 = \boxed{}$$

③

$$4 + 4 = \boxed{}$$

④

$$5 + 4 = \boxed{}$$

⑤

$1 + 4 = \boxed{}$

⑥

$4 + 3 = \boxed{}$

⑦

$3 + 4 = \boxed{}$

⑧

$\boxed{} + 4 = \boxed{}$

⑨

$\boxed{} + 3 = \boxed{}$

⑩

$\boxed{} + 3 = \boxed{}$

더하기 3, 4

🐻 덧셈식을 쓰고 읽어 보세요.

1

쓰기 2＋3＝ ☐

읽기 2 더하기 3은 ☐ 와 같습니다.

2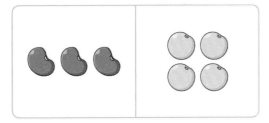

쓰기 3＋☐ ＝☐

읽기 3 더하기 ☐ 는 ☐ 과 같습니다.

🐻 보기 와 같이 색칠하고 덧셈을 해 보세요.

보기
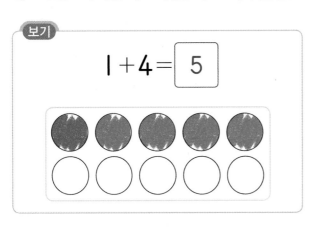
1＋4＝ 5

3 1＋3＝ ☐

4 3＋3＝ ☐

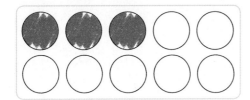

5 5＋4＝ ☐

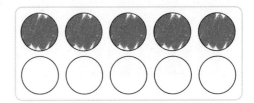

생활 속 계산

🐾 그림에 알맞은 덧셈식을 찾아 색칠해 보세요.

6

| 3+4=7 | 4+4=8 | 1+4=5 |

7

| 2+3=5 | 5+3=8 | 4+3=7 |

문장 읽고 계산식 세우기

8 염소 4마리와 오리 3마리이면 모두 몇 마리?

식 $4+3=\boxed{}$(마리)

9 늑대 2마리와 여우 4마리이면 모두 몇 마리?

식 $2+\boxed{}=\boxed{}$(마리)

더하기 5, 6, 7, 8

이렇게 해결하자

• 5를 더하는 덧셈식

$$1+5=6$$

1 더하기 5는 6과 같습니다.

덧셈을 해 보세요.

❶

$2+5=\boxed{}$

❷

$2+6=\boxed{}$

❸

$1+7=\boxed{}$

❹

$1+8=\boxed{}$

5

$1 + 6 = \boxed{}$

6

$3 + 5 = \boxed{}$

7

$4 + 5 = \boxed{}$

8

$\boxed{} + 6 = \boxed{}$

9

$\boxed{} + 5 = \boxed{}$

10

$\boxed{} + 7 = \boxed{}$

더하기 5, 6, 7, 8

🐻 덧셈식을 쓰고 읽어 보세요.

1

쓰기 $2+5=$ ☐

읽기 2 더하기 5는 ☐ 과 같습니다.

2

쓰기 $1+$ ☐ $=$ ☐

읽기 1 더하기 ☐ 은 ☐ 과 같습니다.

🐻 보기 와 같이 ○를 그리고 덧셈을 해 보세요.

보기

$2+6=$ 8

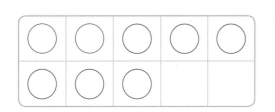

3 $1+5=$ ☐

4 $4+5=$ ☐

5 $3+6=$ ☐

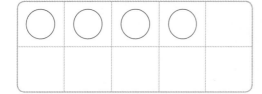

생활 속 계산

🐻 그림에 알맞은 덧셈식을 찾아 색칠해 보세요.

6

| 1+6=7 | 2+6=8 | 1+5=6 |

7

| 1+7=8 | 2+6=8 | 2+7=9 |

문장 읽고 계산식 세우기

8
멜론 3개와 자두 5개이면
모두 몇 개?

식　　 3+5=□ (개)

9
망고 1개와 레몬 8개이면
모두 몇 개?

식　　 1+□=□ (개)

🐻 모두 몇 개인지 세어 수를 쓰세요.

1

□

2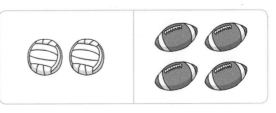

□

2

9까지 수의 덧셈

🐻 모으기를 해 보세요.

3 1 3 → □

4 5 2 → □

5 1 2 → □

6 4 1 → □

7 3 6 → □

8 3 3 → □

9 2 2 → □

10 7 1 → □

11 3 5 → □

78

🐻 덧셈을 해 보세요.

⑫ $2+1=\boxed{}$

⑬ $5+1=\boxed{}$

⑭ $4+2=\boxed{}$

⑮ $6+2=\boxed{}$

⑯ $1+4=\boxed{}$

⑰ $5+3=\boxed{}$

⑱ $4+5=\boxed{}$

⑲ $1+6=\boxed{}$

⑳ $2+7=\boxed{}$

제한 시간 안에 정확하게
모두 풀었다면 여러분은 진정한 **계산왕!**

문장제 문제 도전하기

🐻 덧셈을 해 보세요.

1 6+1=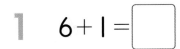 ➡ 양파 6개와 가지 1개이면 모두 몇 개일까요?

이 덧셈식이 실생활에서 어떤 상황에 이용될까요?

식 6+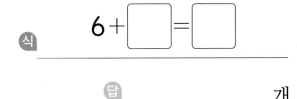

답 _____ 개

2 3+2=☐ ➡ 무 3개와 당근 2개이면 모두 몇 개일까요?

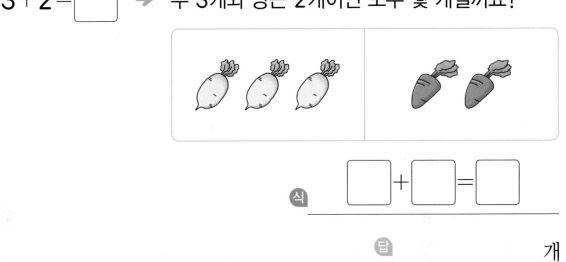

식 ☐+☐=☐

답 _____ 개

문장을 읽고 알맞은 덧셈식을 세워 답을 구해 보자!

3 7+1=☐ → 머핀 **7**개와 바게트 **1**개이면 모두 몇 개일까요?

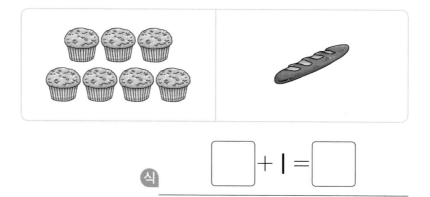

식 ☐+1=☐

답 _____ 개

4 1+3=☐ → 샌드위치 **1**개와 도넛 **3**개이면 모두 몇 개일까요?

식 ☐+☐=☐

답 _____ 개

창의·융합·코딩·도전하기

계단 오르기 놀이

창의 1  현우, 희재, 수영이가 계단 오르기 놀이를 하고 있습니다.

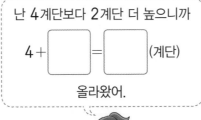

난 4계단보다 2계단 더 높으니까

4 + ☐ = ☐ (계단)

올라왔어.

희재

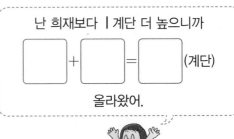

난 희재보다 1계단 더 높으니까

☐ + ☐ = ☐ (계단)

올라왔어.

수영

빈칸에 알맞은 수를 써넣어 덧셈식을 완성해 보세요.

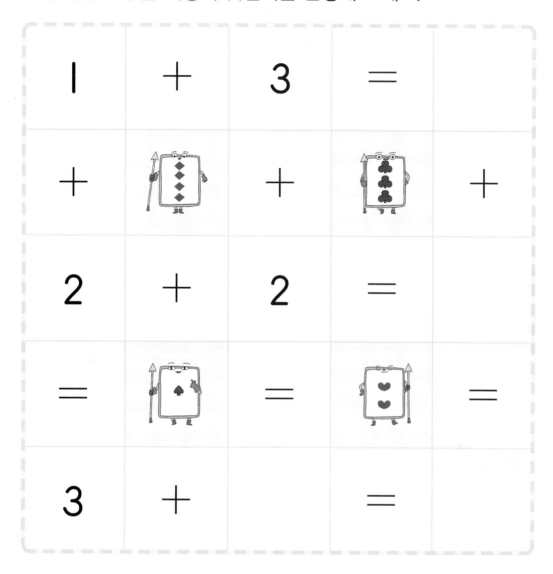

 1＋2＝3과 같이
덧셈식을 완성해요.

3 9까지 수의 뺄셈

 실생활에서 알아보는 재미있는 수학 이야기

이번에 배울 내용을 알아볼까요?

남은 건 몇 개인지 세어 보기

• 남은 배추는 몇 개인지 세어 보기

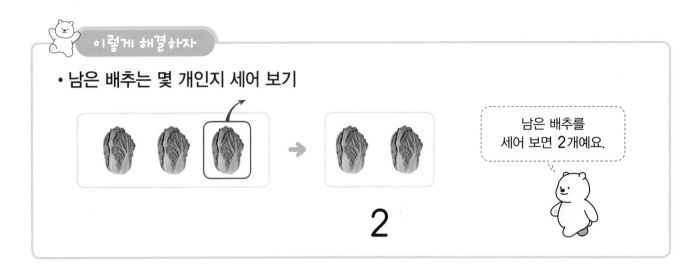

남은 배추를
세어 보면 **2**개예요.

2

남은 채소는 몇 개인지 세어 수를 쓰세요.

1

2

3

4

🐻 남은 과자는 몇 개인지 세어 알맞은 수에 ○표 하세요.

5

(1, 2, 3,)

6

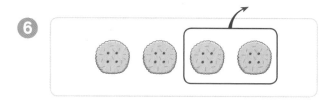

(1, 2, 3)

7

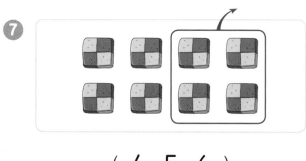

(4, 5, 6)

8

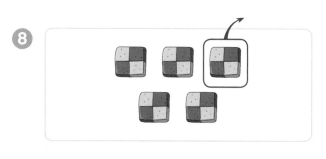

(2, 3, 4)

9

(4, 5, 6)

10

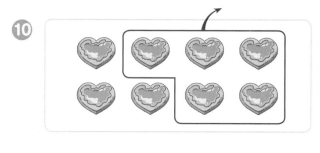

(2, 3, 4)

11

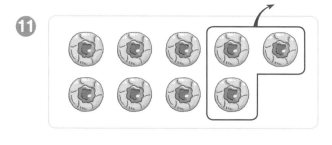

(6, 7, 8)

12

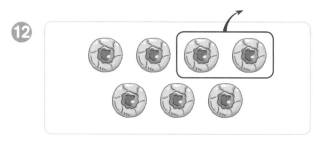

(4, 5, 6)

남은 건 몇 개인지 세어 보기

1 남은 꽃은 몇 송이인지 세어 선으로 이어 보세요.

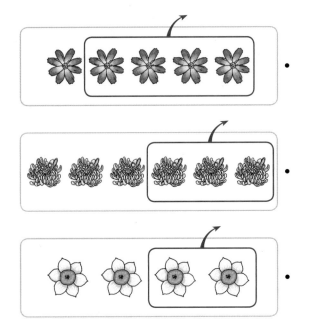

🐻 남은 구슬은 몇 개인지 세어 수를 쓰세요.

2

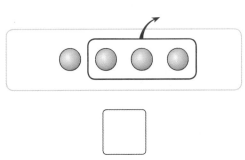

3

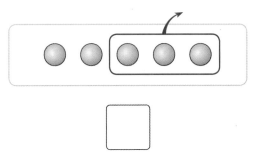

4

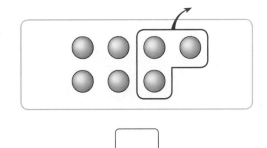

5

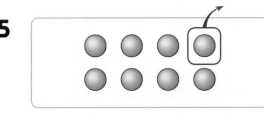

생활 속 문제

🐻 터지고 남은 풍선은 몇 개인지 세어 수를 쓰세요.

6

☐ 개

7

☐ 개

8

☐ 개

문장 읽고 문제 해결하기

9 남은 케이크가 몇 조각인지 세어 보면?

☐ 조각

10 남은 빵이 몇 개인지 세어 보면?

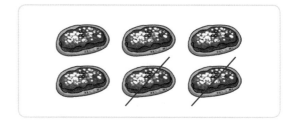

☐ 개

수 가르기

5

2   3

> 5는 2와 3으로 가르기 할 수 있어요.

📖 빈칸에 들어갈 구슬의 수만큼 ◯를 그리고 가르기를 해 보세요.

❶
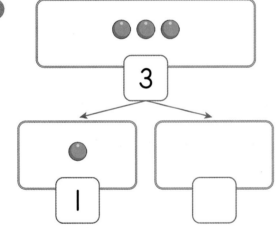

❷
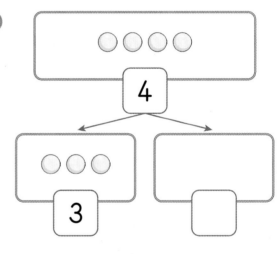

❸
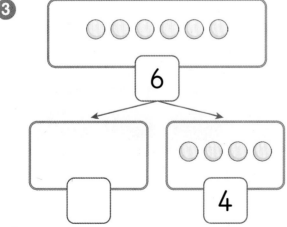

❹
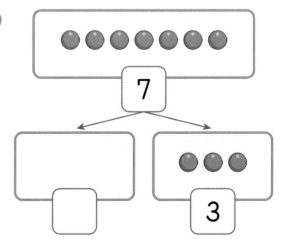

기초 계산 연습

🐻 가르기를 해 보세요.

5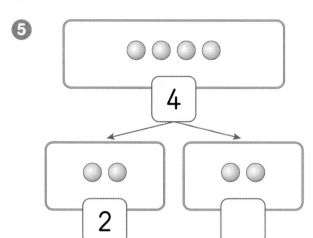

6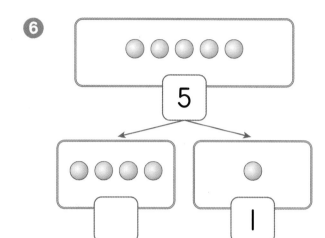

7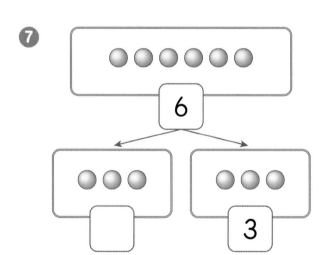

8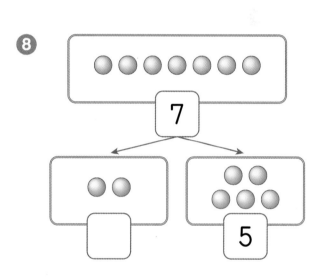

9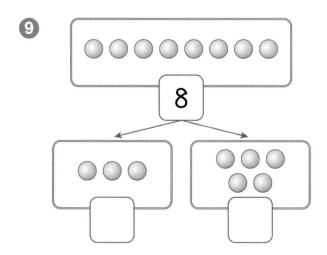

10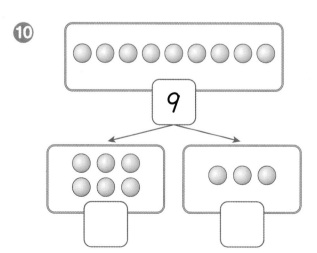

수 가르기

🐻 가르기를 해 보세요.

1
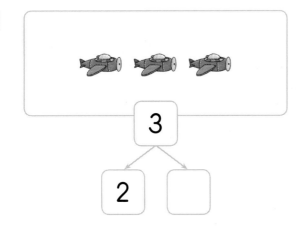

3

2 □

2
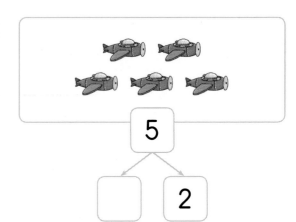

5

□ 2

3
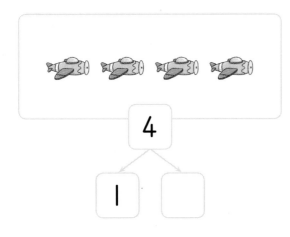

4

1 □

4
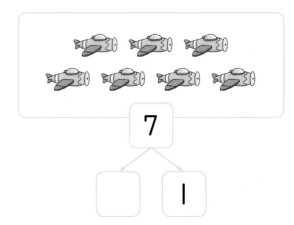

7

□ 1

5
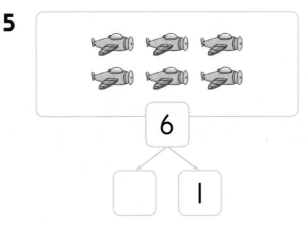

6

□ 1

6
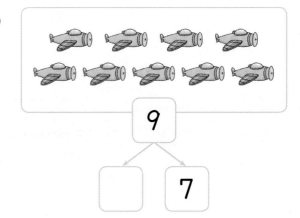

9

□ 7

생활 속 문제

🐻 빈 접시에 알맞은 빵의 수만큼 ◯를 그려 보세요.

7

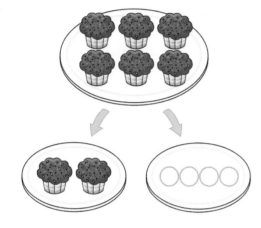

8

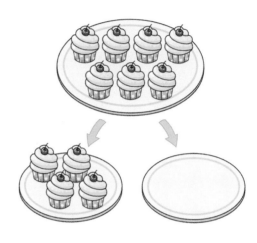

9

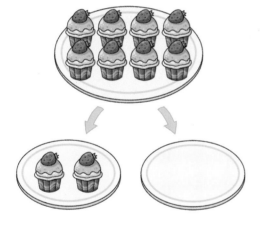

10

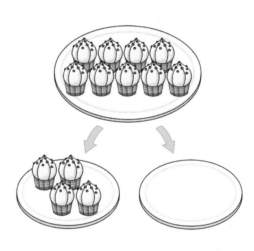

문장 읽고 문제 해결하기

11

7을 5와 몇으로 가르기 하면?

```
    7
   / \
  5   □
```

12

8을 4와 몇으로 가르기 하면?

```
    8
   / \
  4   □
```

빼기로 나타내기

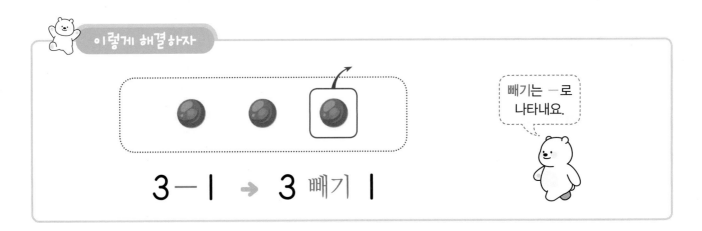

$3 - 1$ ➜ 3 빼기 1

빼기는 —로 나타내요.

빼기로 나타내어 보세요.

①

2 빼기 1

| 2 | — | 1 |

②

3 빼기 2

| | | |

③

4 빼기 2

| | | |

④

4 빼기 3

| | | |

⑤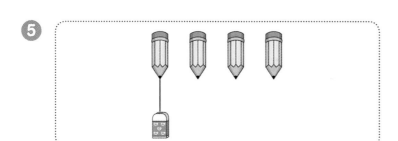

$$4 - 1$$

⑥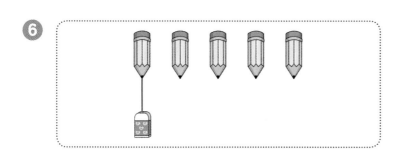

⑦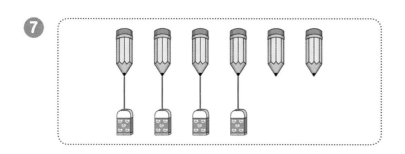

⑧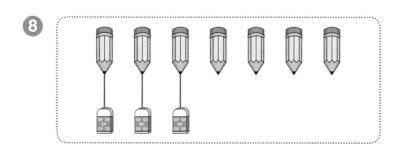

⑨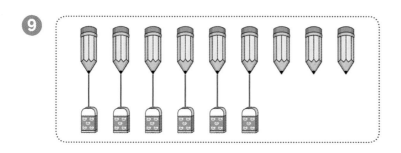

3

9까지 수의 뺄셈

95

빼기로 나타내기

1 그림에 알맞은 빼기를 찾아 선으로 이어 보세요.

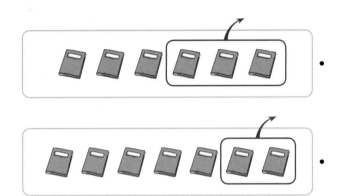

· 6 − 3

· 7 − 2

· 7 − 6

🐻 빼기로 나타내고 읽어 보세요.

2

3 − 1 → ☐ 빼기 ☐

3

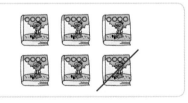

☐ 빼기 ☐

4

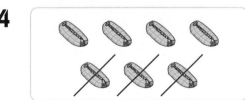

☐ 빼기 ☐

플러스 계산 연습

생활 속 문제

🐻 연못에 남은 오리의 수를 빼기로 바르게 나타낸 것에 색칠해 보세요.

5

| 8 − 1 | 8 − 2 |

6

| 9 − 1 | 9 − 2 |

7

| 9 − 3 | 9 − 4 |

8

| 8 − 3 | 8 − 4 |

문장 읽고 문제 해결하기

9   2 빼기 1

| ☐ | − | ☐ |

10   5 빼기 4

3

9까지 수의 뺄셈

97

4 일차

빼기 1

이렇게 해결하자

• 1을 빼는 뺄셈식

$$6 - 1 = 5$$

6 빼기 1은 5와 같습니다.

같습니다는 =로
나타내요.

3

9
까지
수의
뺄셈

98

뺄셈을 해 보세요.

① 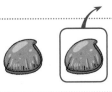　　$2 - 1 = \boxed{}$

② 　　$3 - 1 = \boxed{}$

③ 　　$4 - 1 = \boxed{}$

④ 　　$5 - 1 = \boxed{}$

❺
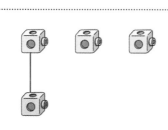

$3 - 1 = \boxed{}$

❻
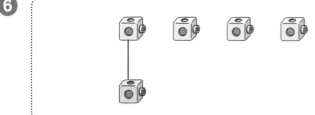

$4 - 1 = \boxed{}$

❼
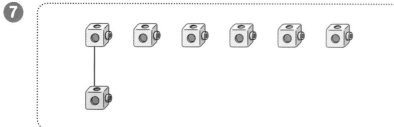

$6 - 1 = \boxed{}$

❽

$\boxed{} - 1 = \boxed{}$

❾
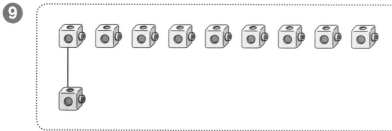

$\boxed{} - 1 = \boxed{}$

🐻 뺄셈식을 쓰고 읽어 보세요.

1

쓰기 5 - 1 = ☐

읽기 5 빼기 1은 ☐ 와 같습니다.

2

쓰기 7 - 1 = ☐

읽기 7 빼기 ☐ 은 ☐ 과 같습니다.

🐻 보기 와 같이 ╱으로 지우고 뺄셈을 해 보세요.

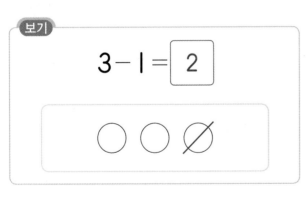

보기

3 - 1 = 2

3 4 - 1 = ☐

4 6 - 1 = ☐

5 9 - 1 = ☐

생활 속 계산

🐻 그림에 알맞은 뺄셈식을 찾아 색칠해 보세요.

6

$5 - 1 = 4$

$7 - 1 = 6$

7

$8 - 1 = 7$

$9 - 1 = 8$

문장 읽고 계산식 세우기

8 사과 2개, 귤 1개일 때 사과는 귤보다 몇 개 더 많은지?

식 $2 - 1 = \boxed{}$ (개)

9 복숭아 5개, 배 1개일 때 복숭아는 배보다 몇 개 더 많은지?

식 $5 - \boxed{} = \boxed{}$ (개)

빼기 2

- 2를 빼는 뺄셈식

$$7-2=5$$

7 빼기 2는 5와 같습니다.

🐻 뺄셈을 해 보세요.

1

$3-2=\boxed{}$

2

$4-2=\boxed{}$

3

$5-2=\boxed{}$

4

$6-2=\boxed{}$

⑤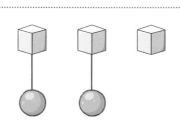

$3 - 2 = \boxed{}$

⑥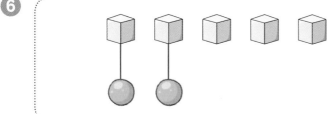

$5 - 2 = \boxed{}$

⑦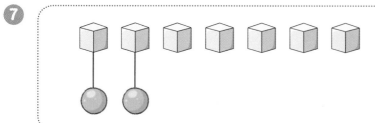

$7 - 2 = \boxed{}$

⑧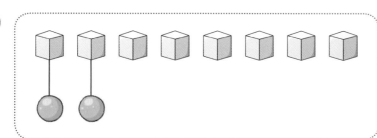

$\boxed{} - 2 = \boxed{}$

⑨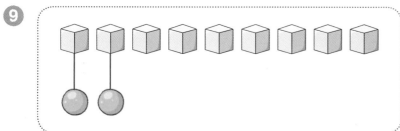

$\boxed{} - 2 = \boxed{}$

빼기 2

🐻 뺄셈식을 쓰고 읽어 보세요.

1

쓰기 4 − 2 = ☐

읽기 4 빼기 2는 ☐ 와 같습니다.

2

쓰기 8 − ☐ = ☐

읽기 8 빼기 ☐ 는 ☐ 과 같습니다.

🐻 보기 와 같이 하나씩 짝지어 보고 뺄셈을 해 보세요.

보기

3 − 2 = 1

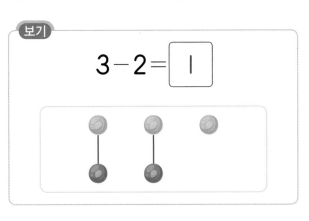

3   5 − 2 = ☐

4   6 − 2 = ☐

5   7 − 2 = ☐

플러스 계산 연습

생활 속 계산

🐻 그림에 알맞은 뺄셈식을 찾아 색칠해 보세요.

6

$$8 - 2 = 6$$

$$5 - 2 = 3$$

7

$$6 - 2 = 4$$

$$7 - 2 = 5$$

문장 읽고 계산식 세우기

8 주스 4컵 중 2컵을 마셨다면 남은 주스는 몇 컵?

식 $4 - 2 = \boxed{}$ (컵)

9 우유 9컵 중 2컵을 마셨다면 남은 우유는 몇 컵?

식 $\boxed{} - 2 = \boxed{}$ (컵)

빼기 3, 4

• 3을 빼는 뺄셈식

$$7 - 3 = 4$$

7 빼기 **3**은 **4**와 같습니다.

🐻 뺄셈을 해 보세요.

①

$4 - 3 = \boxed{}$

②

$6 - 3 = \boxed{}$

③

$5 - 4 = \boxed{}$

④

$7 - 4 = \boxed{}$

⑤

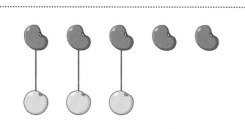

$5-3=\boxed{}$

⑥

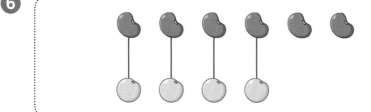

$6-4=\boxed{}$

⑦

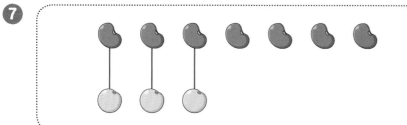

$7-3=\boxed{}$

⑧

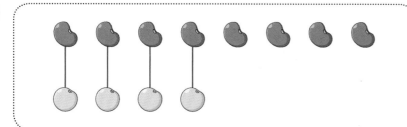

$\boxed{}-4=\boxed{}$

⑨

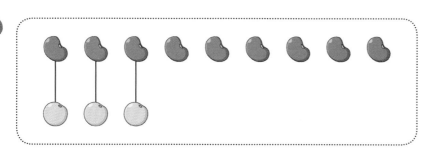

$\boxed{}-3=\boxed{}$

🐻 빼셈식을 쓰고 읽어 보세요.

1

쓰기 $4 - 3 = \boxed{}$

읽기 4 빼기 3은 $\boxed{}$ 과 같습니다.

2

쓰기 $6 - 4 = \boxed{}$

읽기 6 빼기 4는 $\boxed{}$ 와 같습니다.

🐻 보기 와 같이 / 으로 지우고 빼셈을 해 보세요.

보기
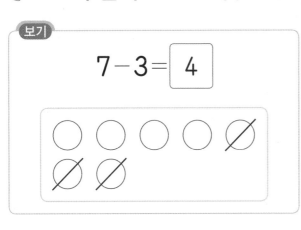
$7 - 3 = \boxed{4}$

3 $8 - 3 = \boxed{}$

4 $7 - 4 = \boxed{}$

5 $9 - 4 = \boxed{}$

플러스 계산 연습

생활 속 계산

🐻 그림에 알맞은 뺄셈식을 찾아 색칠해 보세요.

6

$$5-3=2 \qquad 7-3=4 \qquad 8-3=5$$

7

$$4-3=1 \qquad 6-3=3 \qquad 9-3=6$$

문장 읽고 계산식 세우기

8 접시 5개, 병 4개일 때 접시는 병보다 몇 개 더 많은지?

식 _____ $5-4=\boxed{}$ (개)

9 컵 9개, 쟁반 3개일 때 컵은 쟁반보다 몇 개 더 많은지?

식 _____ $9-\boxed{}=\boxed{}$ (개)

빼기 5, 6, 7, 8

- 6을 빼는 뺄셈식

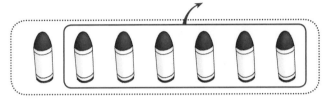

$$7 - 6 = 1$$

7 빼기 6은 1과 같습니다.

뺄셈을 해 보세요.

①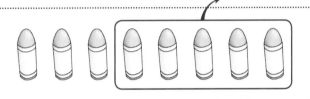

$$8 - 5 = \boxed{}$$

②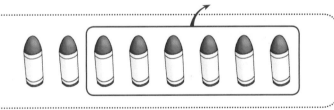

$$8 - 6 = \boxed{}$$

③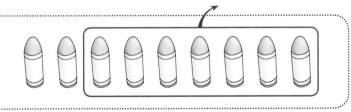

$$9 - 7 = \boxed{}$$

④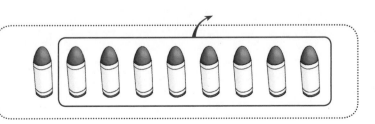

$$9 - 8 = \boxed{}$$

⑤

$6-5=\boxed{}$

⑥

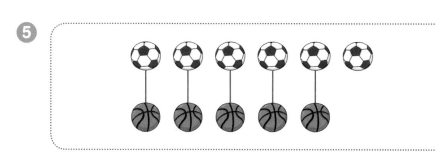

$7-5=\boxed{}$

⑦

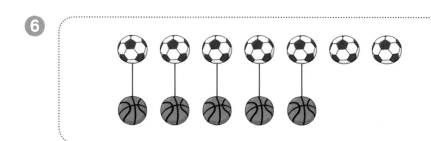

$8-7=\boxed{}$

⑧

$\boxed{}-6=\boxed{}$

⑨

$\boxed{}-5=\boxed{}$

3

9까지 수의 뺄셈

111

빼기 5, 6, 7, 8

📖 뺄셈식을 쓰고 읽어 보세요.

1

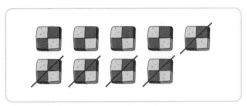

쓰기 9 − 5 = ☐

읽기 9 빼기 5는 ☐ 와 같습니다.

2

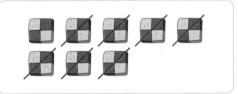

쓰기 8 − 7 = ☐

읽기 8 빼기 7은 ☐ 과 같습니다.

📖 보기 와 같이 하나씩 짝지어 보고 뺄셈을 해 보세요.

보기

$6 - 5 = 1$

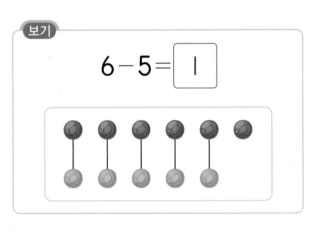

3 $8 - 5 = $ ☐

4 $7 - 6 = $ ☐

5 $9 - 7 = $ ☐

생활 속 계산

🐻 그림에 알맞은 뺄셈식을 찾아 색칠해 보세요.

6

$9-6=3$ $6-5=1$ $8-6=2$

7

$7-6=1$ $8-6=2$ $8-5=3$

문장 읽고 계산식 세우기

8 사탕 **7**개 중 **5**개를 먹었다면 남은 사탕은 몇 개?

식 $7-5=\boxed{}$ (개)

9 젤리 **9**개 중 **8**개를 먹었다면 남은 젤리는 몇 개?

식 $\boxed{}-8=\boxed{}$ (개)

제한 시간 10분

 남은 자동차는 몇 대인지 세어 수를 쓰세요.

1

☐

2

☐

 가르기를 해 보세요.

3

2
1 ☐

4

4
3 ☐

5

3
2 ☐

6

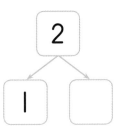

5
1 ☐

7

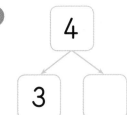

6
4 ☐

8

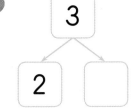

7
1 ☐

9

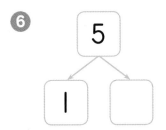

7
2 ☐

10

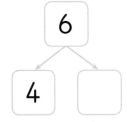

9
6 ☐

11

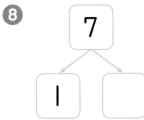

8
3 ☐

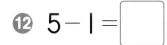 **뺄셈을 해 보세요.**

⑫ 5－1＝ ⬜

⑬ 6－3＝ ⬜

⑭ 8－7＝ ⬜

⑮ 7－4＝ ⬜

⑯ 4－2＝ ⬜

⑰ 9－1＝ ⬜

⑱ 8－6＝ ⬜

⑲ 5－2＝ ⬜

⑳ 9－5＝ ⬜

제한 시간 안에 정확하게
모두 풀었다면 여러분은 진정한 **계산왕!**

문장제 문제 도전하기

🐻 **뺄셈을 해 보세요.**

1 $3 - 1 =$ ☐ ➡ 빗자루 3개와 쓰레받이 1개가 있습니다.
빗자루는 쓰레받이보다 몇 개 더 많을까요?

이 뺄셈식이
실생활에서
어떤 상황에
이용될까요?

식 $3 - 1 =$ ☐ _____

답 _____ 개

2 $6 - 2 =$ ☐ ➡ 비누 6개와 세제 2개가 있습니다.
비누는 세제보다 몇 개 더 많을까요?

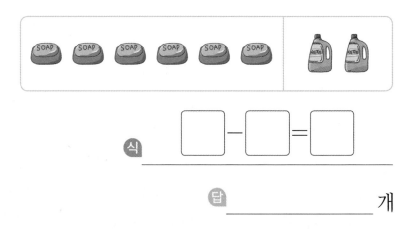

식 ☐ $-$ ☐ $=$ ☐ _____

답 _____ 개

문장을 읽고 알맞은 뺄셈식을 세워 답을 구해 보자!

3 $5-4=\boxed{}$ ➡ 크림빵 5개와 도넛 4개를 샀습니다.
크림빵은 도넛보다 몇 개 더 많이 샀을까요?

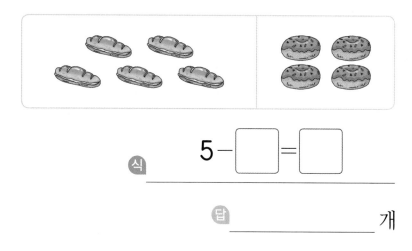

식 $5-\boxed{}=\boxed{}$

답 _____ 개

3

9까지 수의 뺄셈

4 $9-7=\boxed{}$ ➡ 소시지빵 9개와 머핀 7개를 샀습니다.
소시지빵은 머핀보다 몇 개 더 많이 샀을까요?

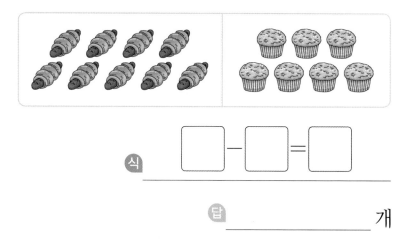

식 $\boxed{}-\boxed{}=\boxed{}$

답 _____ 개

창의·융합·코딩·도전하기

엘리베이터에 남은 사람 수는?

창의 **1** 사람들이 엘리베이터에 타고 내리고 있습니다.

6명이 타네.

2층입니다

딩동~

어? 아무도 안 타고 안 내리네.

3층입니다

딩동~

3층에서는 아무도 안 타고 5명이 내렸어.

남은 사람이 몇 명이지?

2층에서 엘리베이터에 타고 있는 사람은 6명이에요.

3층에서 엘리베이터에 남은 사람은

$6 - \boxed{} = \boxed{}$ (명)이에요.

빈칸에 알맞은 수를 써넣어 뺄셈식을 완성해 보세요.

9	−	6	=	
−		−		−
4	−	2	=	
=		=		=
5	−		=	

9 − 4 = 5와 같이
뺄셈식을 완성해요.

20까지의 수

 실생활에서 알아보는 재미있는 수학 이야기

이번에 배울 내용을 알아볼까요?

10 알아보기, 10 모으기와 가르기

 이렇게 해결하자

• 9 다음의 수 알아보기

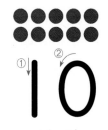

 9보다 1만큼 더 큰 수를 10이라고 해요.

십, 열

• 10 모으기

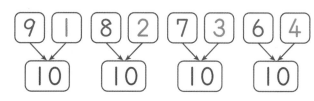

• 10 가르기

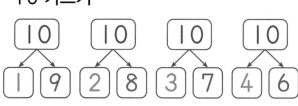

 수를 읽으면서 써 보세요.

1

10

2

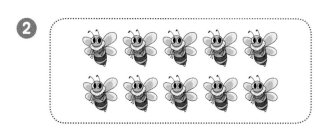

10

3

10

🐻 그림을 보고 모으기와 가르기를 해 보세요.

4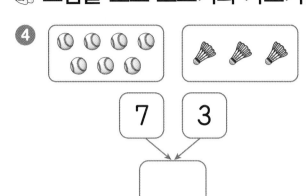

7 　 3

5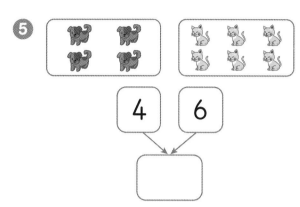

4 　 6

6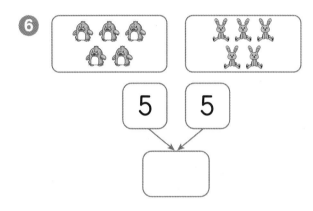

5 　 5

7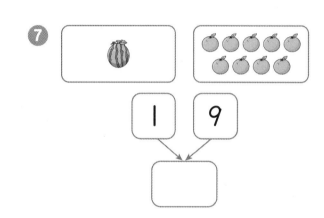

1 　 9

8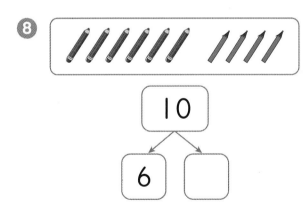

10

6 　

9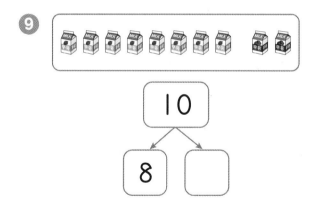

10

8 　

10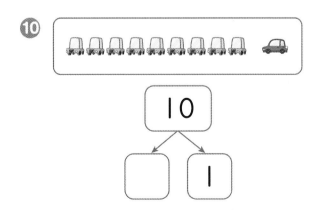

10

　 1

11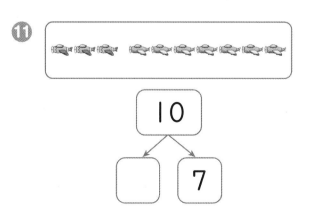

10

　 7

10 알아보기, 10 모으기와 가르기

🐻 모으기와 가르기를 해 보세요.

1 `2` `8` → ☐

2 `5` `5` → ☐

3 `7` `3` → ☐

4 `10` → ☐ `3`

5 `10` → `6` ☐

6 `10` → ☐ `1`

🐻 보기 와 같이 수에 알맞게 ○를 더 그려 넣으세요.

보기

10

○	○	○	○	○
○	○	○	○	○

7

10

○	○	○	○	

8

10

○	○	○	○	○

9

10

○	○	○	○	○
	○			

생활 속 문제

🐻 알맞은 말에 ○표 하세요.

10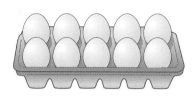

달걀 (열 , 십) 개가 있습니다.

11

동전은 (열 , 십) 원짜리입니다.

12

일 모형을 (열 , 십) 층으로 쌓았습니다.

13

거북 (열 , 십) 마리가 있습니다.

4

20 까지의 수

문장 읽고 문제 해결하기

14 9보다 1만큼 더 큰 수는?

답 _____

15 8보다 2만큼 더 큰 수는?

답 _____

125

16 야구 글러브 4개와 6개를 모으기 하면?

| 4 | 6 |

| |

17 풀 10개를 5개와 몇 개로 가르기 하면?

| 10 |

| 5 | |

20까지의 수 쓰기, 읽기

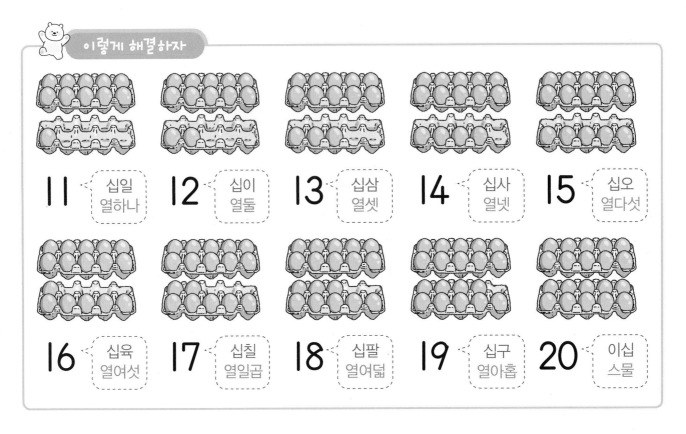

11 십일 열하나	12 십이 열둘	13 십삼 열셋	14 십사 열넷	15 십오 열다섯
16 십육 열여섯	17 십칠 열일곱	18 십팔 열여덟	19 십구 열아홉	20 이십 스물

수를 읽으면서 써 보세요.

1

1 1

2

1 2

3

1 3

4

1 4

5

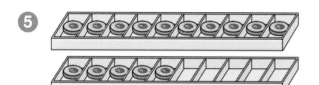

| 15 | | |

6

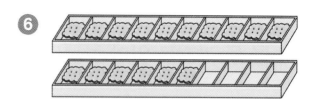

| 16 | | |

7

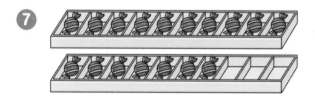

| 17 | | |

8

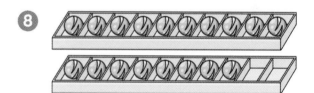

| 18 | | |

9

| 19 | | |

10

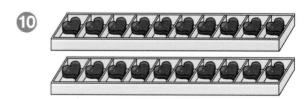

| 20 | | |

20까지의 수 쓰기, 읽기

🐻 수를 두 가지로 읽어 보세요.

1

12	

2

14	

3

19	

4

17	

🐻 보기 와 같이 수에 알맞게 ○를 더 그려 넣으세요.

보기

18

5   **15**

6   **12**

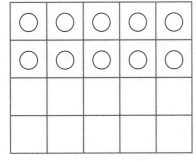

7   **16**

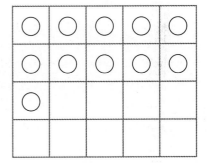

플러스 계산 연습

생활 속 문제

🐻 **알맞은 말에 ○표 하세요.**

8

우리 집은 (열셋 , 십삼) 층입니다.

9

클립은 (열일곱 , 십칠) 개입니다.

10

누나는 (열다섯 , 십오) 살입니다.

11

돈은 (스물 , 이십) 원입니다.

문장 읽고 문제 해결하기

12 18을 두 가지로 읽으면?

읽기 [   ] , [   ]

13 16을 두 가지로 읽으면?

읽기 [   ] , [   ]

14 19를 두 가지로 읽으면?

읽기 [   ] , [   ]

15 17을 두 가지로 읽으면?

읽기 [   ] , [   ]

20까지의 수 세기

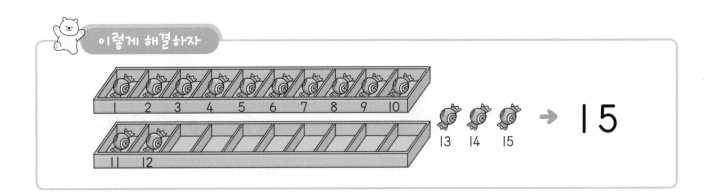

수를 세어 알맞은 수에 ◯표 하세요.

4

20까지의 수

①

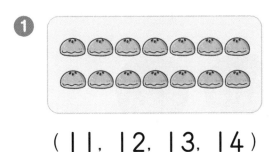

(ㅣㅣ, ㅣ2, ㅣ3, ㅣ4)

②

(ㅣ3, ㅣ4, ㅣ5, ㅣ6)

130

③

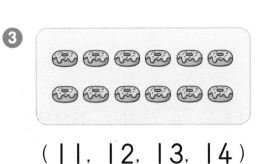

(ㅣㅣ, ㅣ2, ㅣ3, ㅣ4)

④

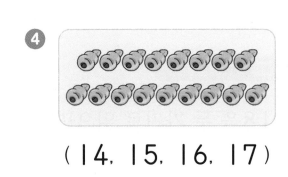

(ㅣ4, ㅣ5, ㅣ6, ㅣ7)

⑤

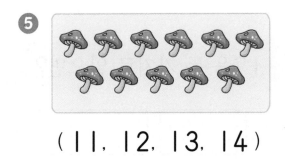

(ㅣㅣ, ㅣ2, ㅣ3, ㅣ4)

⑥

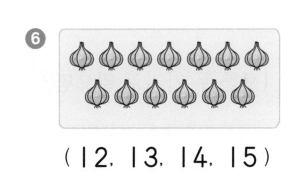

(ㅣ2, ㅣ3, ㅣ4, ㅣ5)

기초 계산 연습

🐻 모두 몇 개인지 세어 보세요.

⑦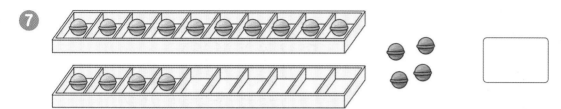

⑧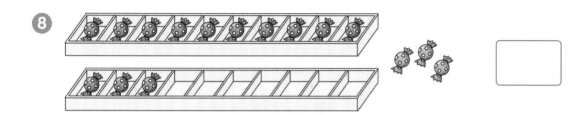

⑨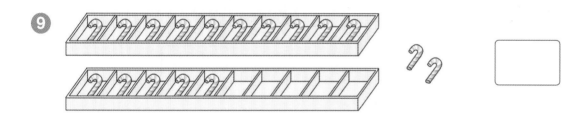

⑩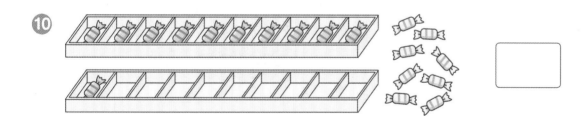

20까지의 수 세기

🐻 모두 몇 개인지 세어 보세요.

1
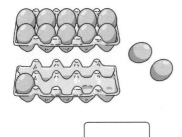

2
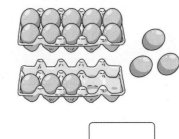

3
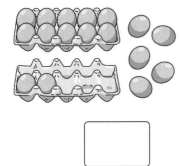

4
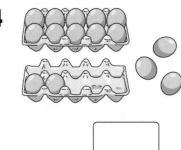

5
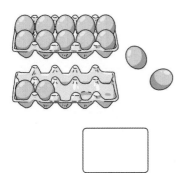

6
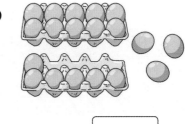

7
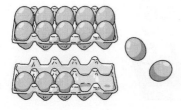

8
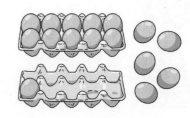

생활 속 문제

🐻 수를 세어 ☐ 안에 알맞은 수를 써넣으세요.

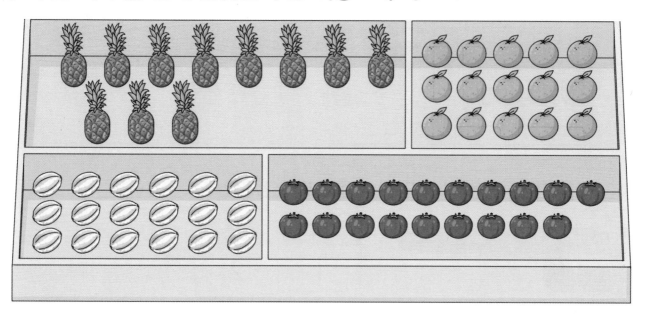

9

10

11

12

문장 읽고 문제 해결하기

13 사탕의 수를 세어 빈칸에 알맞은 수를 쓰세요.

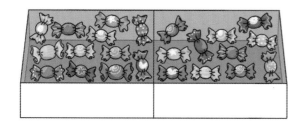

14 사탕의 수를 세어 빈칸에 알맞은 수를 쓰세요.

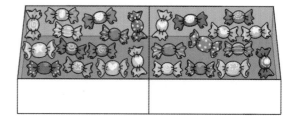

10개씩 묶음과 낱개의 수

이렇게 해결하자

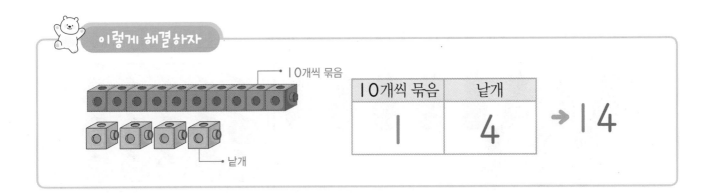

10개씩 묶음	낱개
1	4

→ 14

그림을 보고 빈칸에 알맞은 수를 써넣으세요.

①

10개씩 묶음	낱개
1	2

→ ⬜

②

10개씩 묶음	낱개

→ ⬜

③

10개씩 묶음	낱개

→ ⬜

④

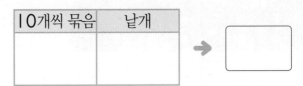

10개씩 묶음	낱개

→ ⬜

□ 안에 알맞은 수를 써넣으세요.

5

10개씩 묶음	낱개
1	1

➡

6

10개씩 묶음	낱개
1	3

➡

7

10개씩 묶음	낱개
1	4

➡

8

10개씩 묶음	낱개
1	6

➡

9

10개씩 묶음	낱개
1	8

➡

10

10개씩 묶음	낱개
1	2

➡

11

10개씩 묶음	낱개
1	7

➡

12

10개씩 묶음	낱개
1	5

➡

13

10개씩 묶음	낱개
1	9

➡

14

10개씩 묶음	낱개
2	0

➡

4

20까지의 수

🐻 구슬의 수를 세어 ☐ 안에 써넣으세요.

1

┌ 10개씩 묶음

┌ 낱개

☐

2

☐

3

☐

4

☐

🐻 보기 와 같이 빈칸에 알맞은 수를 써넣으세요.

보기

수	10개씩 묶음	낱개
15	1	5

15는 10개씩 묶음 1개와 낱개 5개로 나타낼 수 있어요.

5

수	10개씩 묶음	낱개
18		

6

수	10개씩 묶음	낱개
16		

20까지의 수

생활 속 문제

🐻 모두 얼마인지 ☐ 안에 써넣으세요.

7

☐ 원

8

☐ 원

9

☐ 원

10

☐ 원

문장 읽고 문제 해결하기

11
10개씩 묶음 1개와 낱개 4개는?

답 _____

12
10개씩 묶음 1개와 낱개 9개는?

답 _____

13
10개씩 묶음 1개와 낱개 8개는?

답 _____

14
10개씩 묶음 1개와 낱개 6개는?

답 _____

20까지 수의 순서

수의 순서에 맞게 빈칸에 알맞은 수를 써넣으세요.

1

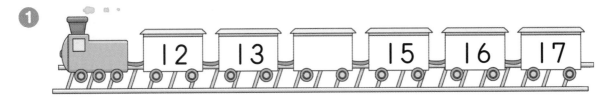

12 13 □ 15 16 17

2

9 10 □ □ 13 14

3

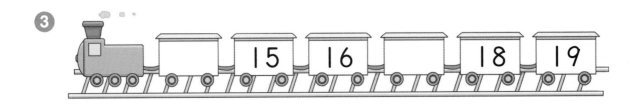

□ 15 16 □ 18 19

4

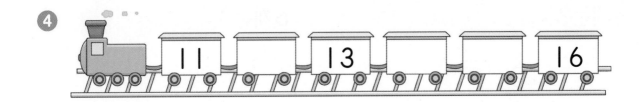

11 □ 13 □ □ 16

⑤  10  11

⑥  15 16    20

⑦
| 11 | | 13 |

⑧
| | 17 | 18 |

⑨
| 14 | 15 | |

⑩
| 18 | | 20 |

⑪
| 17 | | 19 |

⑫
| 13 | 14 | |

20까지 수의 순서

🐻 수의 순서에 맞게 빈칸에 알맞은 수를 써넣으세요.

1

11			14	
16		18		

2

		13		15
	17			20

🐻 순서를 거꾸로 하여 빈칸에 알맞은 수를 써넣으세요.

3

20		18		16
	14		12	11

4

	19		17	
15		13		

생활 속 문제

5 수의 순서대로 선으로 이어 보세요.

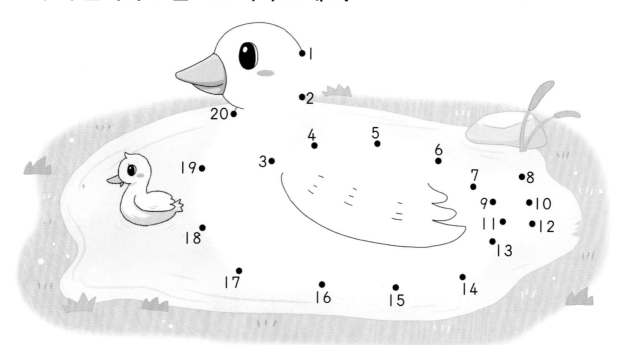

문장 읽고 문제 해결하기

6 11 다음의 수는?

답 ＿＿＿＿＿＿＿＿＿＿

7 18 다음의 수는?

답 ＿＿＿＿＿＿＿＿＿＿

8 15 다음의 수는?

답 ＿＿＿＿＿＿＿＿＿＿

9 14 다음의 수는?

답 ＿＿＿＿＿＿＿＿＿＿

1만큼 더 큰 수, 1만큼 더 작은 수

이렇게 해결하자

| 11 | ← 1만큼 더 작은 수 | 12 | 1만큼 더 큰 수 → | 13 |

12보다 1만큼 더 작은 수   12보다 1만큼 더 큰 수

🐻 그림을 보고 ☐ 안에 알맞은 수를 써넣으세요.

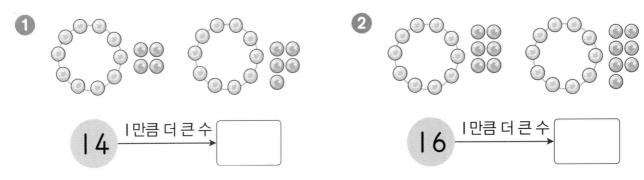

❶ 14 ──1만큼 더 큰 수──→ ☐

❷ 16 ──1만큼 더 큰 수──→ ☐

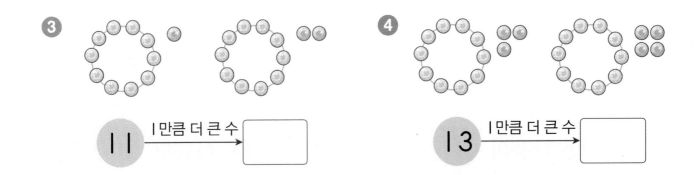

❸ 11 ──1만큼 더 큰 수──→ ☐

❹ 13 ──1만큼 더 큰 수──→ ☐

⑤

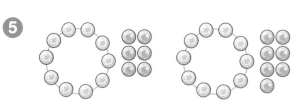

[   ] ← 1만큼 더 작은 수 **17**

⑥

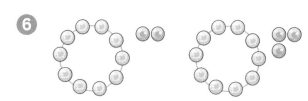

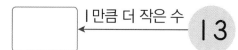

[   ] ← 1만큼 더 작은 수 **13**

⑦

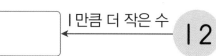

[   ] ← 1만큼 더 작은 수 **12**

⑧

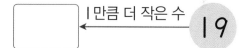

[   ] ← 1만큼 더 작은 수 **19**

⑨

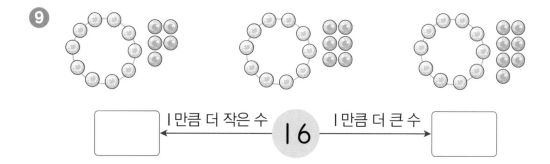

[   ] ← 1만큼 더 작은 수 **16** 1만큼 더 큰 수 → [   ]

⑩

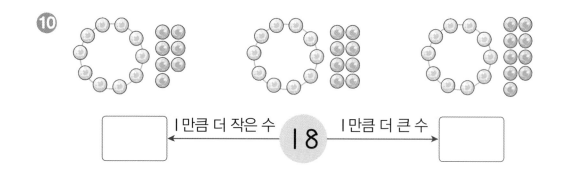

[   ] ← 1만큼 더 작은 수 **18** 1만큼 더 큰 수 → [   ]

1만큼 더 큰 수, 1만큼 더 작은 수

🐻 왼쪽의 수보다 1만큼 더 큰 수에 ◯표 하세요.

1

| 12 | → | 10 | 11 | 13 |

2

| 14 | → | 12 | 13 | 15 |

3

| 17 | → | 14 | 18 | 15 |

🐻 ☐ 안에 알맞은 수를 써넣으세요.

4 1만큼 더 작은 수   1만큼 더 큰 수

☐ — **13** — ☐

5 1만큼 더 작은 수   1만큼 더 큰 수

☐ — **18** — ☐

생활 속 문제

🐻 나뭇잎 | 개를 ✕로 지우세요.
또, 나뭇잎의 수보다 | 만큼 더 작은 수를 ☐ 안에 써넣으세요.

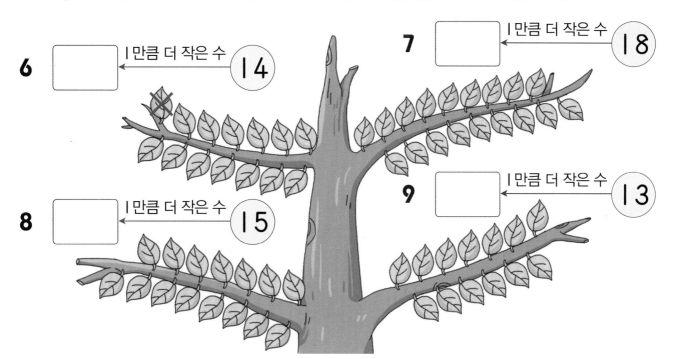

6 ☐ ← | 만큼 더 작은 수 ⑭

7 ☐ ← | 만큼 더 작은 수 ⑱

8 ☐ ← | 만큼 더 작은 수 ⑮

9 ☐ ← | 만큼 더 작은 수 ⑬

문장 읽고 문제 해결하기

10 | 5보다 | 만큼 더 큰 수는?

답 _____

11 | 8보다 | 만큼 더 큰 수는?

답 _____

12 | | 보다 | 만큼 더 작은 수는?

답 _____

13 | 9보다 | 만큼 더 작은 수는?

답 _____

SPEED 연산력 TEST

🐻 수에 알맞게 ◯를 더 그려 넣으세요.

1 | 14

◯	◯	◯	◯	◯
◯	◯	◯	◯	◯
◯	◯			

2 | 17

◯	◯	◯	◯	◯
◯	◯	◯	◯	◯
◯	◯	◯		

🐻 빈칸에 알맞은 수를 써넣으세요.

3

수	10개씩 묶음	낱개
13		

4

수	10개씩 묶음	낱개
19		

🐻 가르기를 해 보세요.

5

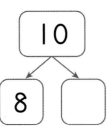

6

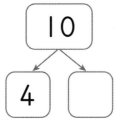

🐻 모으기를 해 보세요.

7

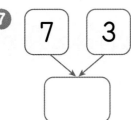

8

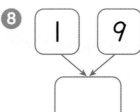

🐻 구슬의 수를 세어 ☐ 안에 써넣으세요.

⑨

☐

⑩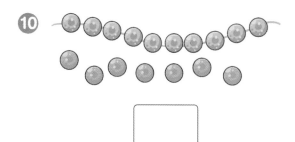

☐

🐻 모두 얼마인지 ☐ 안에 써넣으세요.

⑪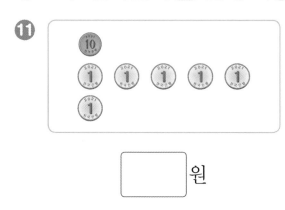

☐ 원

⑫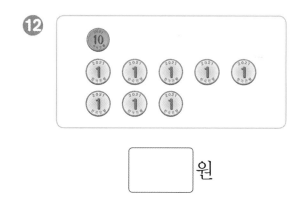

☐ 원

🐻 ☐ 안에 알맞은 수를 써넣으세요.

⑬ I 만큼 더 작은 수   I 만큼 더 큰 수

☐ — 19 — ☐

⑭ I 만큼 더 작은 수   I 만큼 더 큰 수

☐ — 12 — ☐

⑮ 수의 순서에 맞게 빈 곳에 알맞은 수를 써넣으세요.

제한 시간 안에
정확하게 모두 풀었다면
여러분은 진정한 계산왕!

1

10개씩 묶음	낱개
1	7

➡ 연결큐브는 모두 몇 개일까요?

10개씩 묶음 1개   낱개 7개

실생활에서 10개씩 묶음 1개와 낱개 몇 개를 세는 상황을 알아볼까요?

답 _____ 개

2

10개씩 묶음	낱개
1	4

➡ 수수깡은 모두 몇 개일까요?

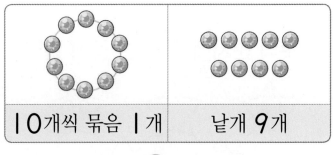

10개씩 묶음 1개   낱개 4개

답 _____ 개

3

10개씩 묶음	낱개
1	9

➡ 구슬은 모두 몇 개일까요?

10개씩 묶음 1개   낱개 9개

답 _____ 개

문장을 읽고 1만큼 더 큰 수, 1만큼 더 작은 수를 이용하여 답을 구해 보자!

4 정아는 토마토를 그림보다 1개 더 적게 가지고 있습니다.
정아는 토마토를 몇 개 가지고 있을까요?

5 인혜는 쿠키를 그림보다 1개 더 많이 가지고 있습니다.
인혜는 쿠키를 몇 개 가지고 있을까요?

6 민서는 콩을 그림보다 1개 더 많이 가지고 있습니다.
민서는 콩을 몇 개 가지고 있을까요?

20 까지의 수

창의·융합·코딩·도전하기

야구 선수들의 나이는?

융합 1 어린이 야구단의 선수들이 시합을 준비하고 있어요.

이 야구단에 3명의 선수가 잘 하네요.

세 선수의 나이가 11살, 12살, 13살 이랍니다.

- 이름: 이영우
- 달리기가 빠름.

- 이름: 김민수
- 실력이 뛰어난 투수
- **이영우 선수보다 어림.**

- 이름: 정재호
- 공을 잘 치는 타자
- **이영우 선수보다 1살 더 많음.**

세 선수의 나이를 알아볼까요?

🧢 이영우	🧢 김민수	🧢 정재호
☐ 살	☐ 살	☐ 살

2 11부터 20까지의 수의 순서대로 길을 따라 가세요.

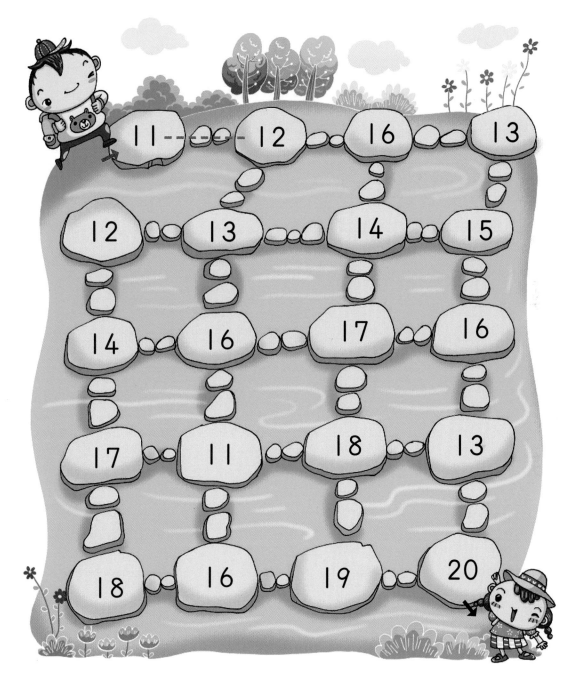

水 漁 之 交

물 · · · · · · 물고기 · · · · · · 갈 · · · · · · 사귈 · · · · · ·

수 어 지 교

물고기에게 물은 정말 소중한 존재이지요.
수어지교란 물고기와 물의 관계처럼,
아주 친밀하여 떨어질 수 없는 사이
또는 깊은 우정을 일컫는 말이랍니다.

해당 콘텐츠는 천재교육 '똑똑한 하루 독해'를 참고하여 제작되었습니다.
모든 공부의 기초가 되는 어휘력+독해력을 키우고 싶을 땐,
똑똑한 하루 독해&어휘를 풀어보세요!

해법★전략

수학리더
연산

예비초 **A**

- 혼자서도 이해할 수 있는 친절한 문제 풀이
- OX퀴즈로 계산 원리 다시 알아보기

천재교육

해법전략
포인트 **3**가지

▶ 혼자서도 이해할 수 있는 친절한 문제 풀이

▶ 참고, 주의 등 자세한 풀이 제시

▶ OX퀴즈로 계산 원리 다시 알아보기

정답과 해설

1 9까지의 수

✳ 개념 ○✕ 퀴즈

옳으면 ○에, 틀리면 ✕에 ○표 하세요.

 1을 두 가지로 읽으면 하나, 이입니다.

○　　　✕

정답은 5쪽에서 확인하세요.

1 일차　기초 계산 연습　6~7쪽

❶ 1, 1, 1, 1, 1
❷ 2, 2, 2, 2, 2
❸ 3, 3, 3, 3, 3
❹ 4, 4, 4, 4, 4
❺ 5, 5, 5, 5, 5
❻ 하나에 ○표
❼ 이에 ○표
❽ 셋에 ○표
❾ 사에 ○표
❿ 다섯에 ○표

1 일차　플러스 계산 연습　8~9쪽

1

2 이
3 다섯
4 하나
5 삼
6 하나에 ✕표
7 오에 ✕표
8 5에 ✕표
9 다섯에 ✕표
10 사
11 둘
12 셋, 삼
13 다섯, 오

10 4 ➡ 넷, 사

11 2 ➡ 둘, 이

12 3 ➡ 셋, 삼

13 5 ➡ 다섯, 오

2 일차　기초 계산 연습　10~11쪽

❶ 3에 ○표
❷ 5에 ○표
❸ 1에 ○표
❹ 4에 ○표
❺
❻
❼
❽
❾
❿

❶ 복숭아는 하나, 둘, 셋이므로 3에 ○표 합니다.

❷ 배는 하나, 둘, 셋, 넷, 다섯이므로 5에 ○표 합니다.

❸ 사과는 하나이므로 1에 ○표 합니다.

❹ 귤은 하나, 둘, 셋, 넷이므로 4에 ○표 합니다.

2 일차　플러스 계산 연습　12~13쪽

1 2
2 3
3 1
4 5
5 2
6 4
7 3
8 1
9 5
10 2
11 4
12 3
13 3
14 1
15 1
16 5

9 하나, 둘, 셋, 넷, 다섯이므로 5입니다.

10 하나, 둘이므로 2입니다.

11 하나, 둘, 셋, 넷이므로 4입니다.

12 하나, 둘, 셋이므로 3입니다.

13 하나, 둘, 셋이므로 3입니다.

14 하나이므로 1입니다.

③ 일차 기초 계산 연습   14~15쪽

① ●●●●○

② ●●○○○

③ ◆◆◆◇◇

④ ◆◇◇◇◇

⑤ ♥♥♥♥♥

⑥ ♥♥♡♡♡

⑦ ●○○○○

⑧ ●●●○○

⑨ ●●○○○

⑩ ●●●●●

⑪ ●●●●○

③ 일차 플러스 계산 연습   16~17쪽

1 ○○ ▢ ▢ ▢ ; 2   **2** ○○○ ▢ ▢ ; 3

3 ○○○○ ▢ ; 4   **4** ○○ ▢ ▢ ▢ ; 2

5 ○○○○○ ; 5   **6** ○ ▢ ▢ ▢ ▢ ; 1

7   **8**

9   **10**

11 2   **12** 1

---

11 빨간색 구슬은 하나, 둘이므로 2개입니다.

12 연두색 구슬은 하나이므로 1개입니다.

④ 일차 기초 계산 연습   18~19쪽

① 6, 6, 6, 6, 6   **②** 7, 7, 7, 7, 7

③ 8, 8, 8, 8, 8   **④** 9, 9, 9, 9, 9

⑤ 여섯에 ○표   **⑥** 칠에 ○표

⑦ 여덟에 ○표   **⑧** 구에 ○표

⑨ 일곱에 ○표   **⑩** 육에 ○표

④ 일차 플러스 계산 연습   20~21쪽

1

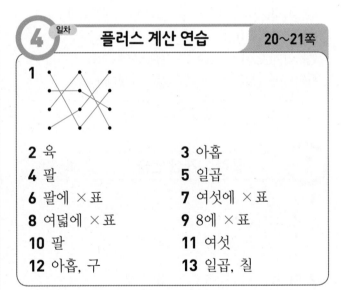

2 육   **3** 아홉

4 팔   **5** 일곱

6 팔에 ×표   **7** 여섯에 ×표

8 여덟에 ×표   **9** 8에 ×표

10 팔   **11** 여섯

12 아홉, 구   **13** 일곱, 칠

---

6 9 ➡ 아홉, 구

7 7 ➡ 일곱, 칠

8 6 ➡ 여섯, 육

9 7 ➡ 일곱, 칠

10 8 ➡ 여덟, 팔

11 6 ➡ 여섯, 육

12 9 ➡ 아홉, 구

13 7 ➡ 일곱, 칠

⑤ 일차 · 기초 계산 연습 · 22~23쪽

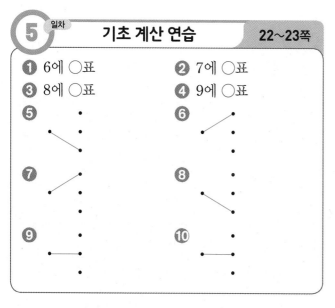

① 6에 ○표 ② 7에 ○표
③ 8에 ○표 ④ 9에 ○표

① 고구마는 하나, 둘, 셋, 넷, 다섯, 여섯이므로 6에 ○표 합니다.

② 배추는 하나, 둘, 셋, 넷, 다섯, 여섯, 일곱이므로 7에 ○표 합니다.

③ 무는 하나, 둘, 셋, 넷, 다섯, 여섯, 일곱, 여덟이므로 8에 ○표 합니다.

④ 당근은 하나, 둘, 셋, 넷, 다섯, 여섯, 일곱, 여덟, 아홉이므로 9에 ○표 합니다.

⑤ 일차 · 플러스 계산 연습 · 24~25쪽

1 6에 색칠	**2** 8에 색칠
3 7에 색칠	**4** 6
5 7	**6** 6
7 6	**8** 9
9 8	**10** 9
11 7	**12** 7
13 6	

12 얼룩말을 세어 보면 하나, 둘, 셋, 넷, 다섯, 여섯, 일곱이므로 7마리입니다.

13 판다를 세어 보면 하나, 둘, 셋, 넷, 다섯, 여섯이므로 6마리입니다.

⑥ 일차 · 기초 계산 연습 · 26~27쪽

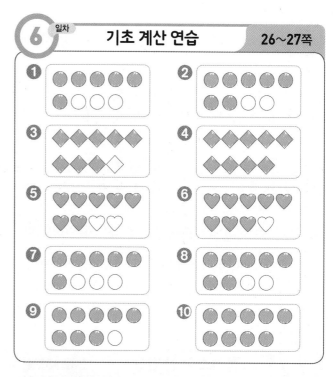

⑦ 불이 켜진 전구는 하나, 둘, 셋, 넷, 다섯, 여섯이므로 6입니다.

⑧ 불이 켜진 전구는 하나, 둘, 셋, 넷, 다섯, 여섯, 일곱이므로 7입니다.

⑥ 일차 · 플러스 계산 연습 · 28~29쪽

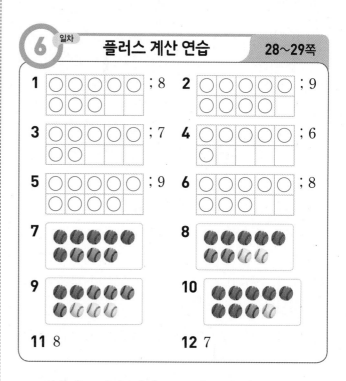

1 ; 8 **2** ; 9
3 ; 7 **4** ; 6
5 ; 9 **6** ; 8
7 **8**
9 **10**
11 8 **12** 7

11 분홍색 구슬은 하나, 둘, 셋, 넷, 다섯, 여섯, 일곱, 여덟이므로 8개입니다.

12 노란색 구슬은 하나, 둘, 셋, 넷, 다섯, 여섯, 일곱이므로 7개입니다.

정답과 해설

❶ 3, 7   ❷ 5, 6
❸ 2, 7, 9   ❹ 4, 5, 8
❺ 1, 6, 9   ❻ 3, 6, 7, 9
❼ 2, 4, 6, 8   ❽ 1, 4, 5, 8, 9
❾ 6, 7   ❿ 8, 9
⓫ 3, 5, 6   ⓬ 4, 6, 8

⓫ 2 다음에는 3, 4 다음에는 5, 5 다음에는 6입니다.

⓬ 5 앞에는 4, 5 다음에는 6, 7 다음에는 8입니다.

1   **2**

3 6, 4, 3   **4** 7, 5, 2, 1
5 8, 6, 4, 3   **6** 9, 7, 5, 3, 1

7   **8**

9   **10**

11 2   **12** 9
13 6   **14** 5

11 수를 순서대로 쓰면 1, 2, 3이므로 1 다음에는 2 입니다.

12 수를 순서대로 쓰면 7, 8, 9이므로 8 다음에는 9 입니다.

13 수를 순서대로 쓰면 4, 5, 6이므로 5 다음에는 6 입니다.

14 수를 순서대로 쓰면 3, 4, 5이므로 4 다음에는 5 입니다.

❶ 4에 ○표   ❷ 9에 ○표
❸ 7에 ○표   ❹ 6에 ○표
❺ 3에 ○표   ❻ 5에 ○표
❼ 4에 ○표   ❽ 7에 ○표
❾ 8에 ○표   ❿ 4에 ○표
⓫ 0에 ○표   ⓬ 2에 ○표
⓭ 3에 ○표

⓫ 가방을 세어 보면 하나이므로 1입니다.
1보다 1만큼 더 작은 수는 0입니다.

⓬ 미어캣을 세어 보면 셋이므로 3입니다.
3보다 1만큼 더 작은 수는 2입니다.

⓭ 병아리를 세어 보면 넷이므로 4입니다.
4보다 1만큼 더 작은 수는 3입니다.

1 △△△△ ; 4   **2** △△△△△ △△△ ; 8
3 △△△△△ △ ; 6   **4** △△ ; 2
5 △△△△△ △△ ; 7   **6** △△△△△ ; 5
7 △ ; 1   **8** △△△ ; 3

9 5   **10** 8
11 2   **12** 4
13 7   **14** 3
15 6   **16** 9
17 0   **18** 8

15 5보다 1만큼 더 큰 수는 5 다음 수인 6입니다.

16 8보다 1만큼 더 큰 수는 8 다음 수인 9입니다.

17 1보다 1만큼 더 작은 수는 1 바로 앞의 수인 0입 니다.

18 9보다 1만큼 더 작은 수는 9 바로 앞의 수인 8입 니다.

⑨ 일차　기초 계산 연습　38~39쪽

① (　)(○)　② (○)(　)
③ (　)(○)　④ (○)(　)
⑤ (○)(　)　⑥ (　)(○)
⑦ 4에 ○표　⑧ 7에 ○표
⑨ 9에 ○표　⑩ 8에 ○표
⑪ 6에 △표　⑫ 2에 △표
⑬ 5에 △표　⑭ 3에 △표

⑦ 1 2 3 ④
➜ 4는 2보다 큽니다.

⑪ 1 2 3 4 5 ⑥ 7 8
➜ 6은 8보다 작습니다.

⑨ 일차　플러스 계산 연습　40~41쪽

1 2에 △표　**2** 5에 △표
3 7에 △표　**4** 2에 △표

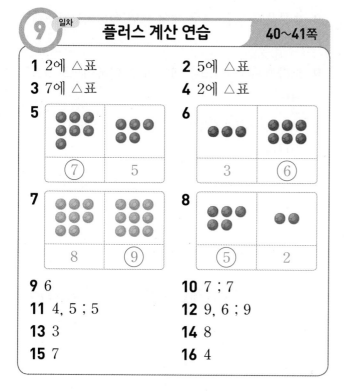

9 6　**10** 7 ; 7
11 4, 5 ; 5　**12** 9, 6 ; 9
13 3　**14** 8
15 7　**16** 4

13 1 2 ③
➜ 2와 3 중 더 큰 수는 3입니다.

14 1 2 3 4 5 6 7 ⑧
➜ 8과 6 중 더 큰 수는 8입니다.

15 1 2 3 4 5 6 ⑦ 8 9
➜ 7과 9 중 더 작은 수는 7입니다.

16 1 2 3 ④ 5
➜ 5와 4 중 더 작은 수는 4입니다.

평가　SPEED 연산력 TEST　42~43쪽

① 3　② 8
③ 5　④ 9
⑤ 넷, 사　⑥ 일곱, 칠
⑦ 4, 5, 6　⑧ 6, 8, 9

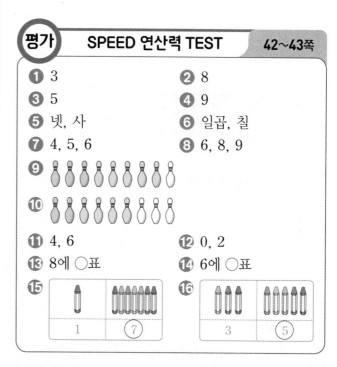

⑪ 4, 6　⑫ 0, 2
⑬ 8에 ○표　⑭ 6에 ○표

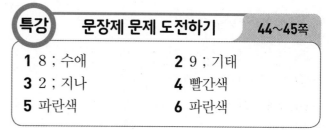

특강　문장제 문제 도전하기　44~45쪽

1 8 ; 수애　**2** 9 ; 기태
3 2 ; 지나　**4** 빨간색
5 파란색　**6** 파란색

특강　창의·융합·코딩·도전하기　46~47쪽

창의1 4, 2

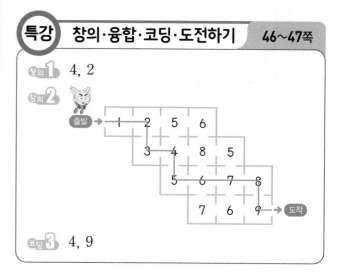

코딩3 4, 9

창의1 유민이는 희재보다 1개 더 많이 먹었으므로 3보다 1만큼 더 큰 수인 4개입니다. 현수는 희재보다 1개 더 적게 먹었으므로 3보다 1만큼 더 작은 수인 2개입니다.

✳ 개념 ○✕ 퀴즈 정답

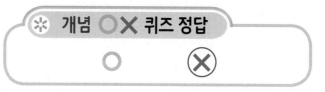

5

② 9까지 수의 덧셈

✳ 개념 ○✕ 퀴즈

옳으면 ○에, 틀리면 ✕에 ○표 하세요.

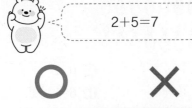

$2+5=7$

○   ✕

정답은 10쪽에서 확인하세요.

① 일차 기초 계산 연습   50~51쪽

❶ ○○○○○, 5
❷ ○○○○, 4
❸ ○○○○○○○, 7
❹ ○○○○○○○○, 8
❺ 3에 ○표   ❻ 6에 ○표
❼ 4에 ○표   ❽ 6에 ○표
❾ 7에 ○표   ❿ 8에 ○표
⓫ 9에 ○표   ⓬ 9에 ○표

❶ ○를 3개 그리고 2개 더 그리면 모두 5개가 됩니다.

❷ ○를 1개 그리고 3개 더 그리면 모두 4개가 됩니다.

❸ ○를 2개 그리고 5개 더 그리면 모두 7개가 됩니다.

❹ ○를 4개 그리고 4개 더 그리면 모두 8개가 됩니다.

❺ 나비를 모두 세어 보면 셋이므로 3입니다.

❻ 나비를 모두 세어 보면 여섯이므로 6입니다.

❼ 잠자리를 모두 세어 보면 넷이므로 4입니다.

❽ 잠자리를 모두 세어 보면 여섯이므로 6입니다.

❾ 벌을 모두 세어 보면 일곱이므로 7입니다.

❿ 벌을 모두 세어 보면 여덟이므로 8입니다.

⓫ 무당벌레를 모두 세어 보면 아홉이므로 9입니다.

⓬ 무당벌레를 모두 세어 보면 아홉이므로 9입니다.

① 일차 플러스 계산 연습   52~53쪽

1	**2** 4	**3** 6
4 7	**5** 9	**6** 5
7 4	**8** 8	**9** 9
10 6	**11** 8	

2 수박을 모두 세어 보면 넷이므로 4입니다.

4 키위를 모두 세어 보면 일곱이므로 7입니다.

6 빨간색 구슬을 모두 세어 보면 다섯이므로 5개입니다.

7 파란색 구슬을 모두 세어 보면 넷이므로 4개입니다.

8 초록색 구슬을 모두 세어 보면 여덟이므로 8개입니다.

9 보라색 구슬을 모두 세어 보면 아홉이므로 9개입니다.

10 분홍색 크레파스를 모두 세어 보면 여섯이므로 6개입니다.

11 연두색 크레파스를 모두 세어 보면 여덟이므로 8개입니다.

② 일차 기초 계산 연습   54~55쪽

❶ ○○○○○, 5
❷ ○○○, 3
❸ ○○○○○○○, 7
❹ ○○○○○○○, 7
❺ 4   ❻ 6
❼ (위부터) 3, 8   ❽ (위부터) 3, 5
❾ (위부터) 1, 5, 6   ❿ (위부터) 4, 4, 8

❶ 구슬 4개와 1개를 모으기 하면 5개가 되므로 ○를 5개 그립니다.

❷ 구슬 1개와 2개를 모으기 하면 3개가 되므로 ○를 3개 그립니다.

❸ 구슬 3개와 4개를 모으기 하면 7개가 되므로 ○를 7개 그립니다.

❹ 구슬 2개와 5개를 모으기 하면 7개가 되므로 ○를 7개 그립니다.

❺ 구슬 3개와 1개를 모으기 하면 4개가 됩니다.

❻ 구슬 2개와 4개를 모으기 하면 6개가 됩니다.

❼ 구슬 5개와 3개를 모으기 하면 8개가 됩니다.

❽ 구슬 3개와 2개를 모으기 하면 5개가 됩니다.

❾ 구슬 1개와 5개를 모으기 하면 6개가 됩니다.

❿ 구슬 4개와 4개를 모으기 하면 8개가 됩니다.

2일차 플러스 계산 연습 56~57쪽

1 2	**2** 7	**3** 6
4 8	**5** 9	**6** 7
7 5	**8** 5	**9** 8
10 6	**11** 9	**12** 9

5 2와 7을 모으기 하면 9가 됩니다.

6 4와 3을 모으기 하면 7이 됩니다.

7 주사위 눈 3개와 2개를 모으기 하면 5개가 됩니다.

8 주사위 눈 1개와 4개를 모으기 하면 5개가 됩니다.

9 주사위 눈 5개와 3개를 모으기 하면 8개가 됩니다.

10 주사위 눈 4개와 2개를 모으기 하면 6개가 됩니다.

3일차 기초 계산 연습 58~59쪽

❶ 2 + 1	❷ 2 + 2
❸ 1 + 3	❹ 3 + 2
❺ 1 + 2	❻ 4 + 3
❼ 2 + 6	❽ 5 + 1
❾ 3 + 4	❿ 4 + 2

❸ 물고기 1마리가 있는 데 3마리를 더 넣었으므로 1+3입니다.

❹ 물고기 3마리가 있는 데 2마리를 더 넣었으므로 3+2입니다.

❺ 배추 1포기와 2포기를 더하기로 나타내면 1+2입니다.

❻ 양파 4개와 3개를 더하기로 나타내면 4+3입니다.

❼ 당근 2개와 6개를 더하기로 나타내면 2+6입니다.

❽ 가지 5개와 1개를 더하기로 나타내면 5+1입니다.

❾ 피망 3개와 4개를 더하기로 나타내면 3+4입니다.

❿ 딸기 4개와 2개를 더하기로 나타내면 4+2입니다.

3일차 플러스 계산 연습 60~61쪽

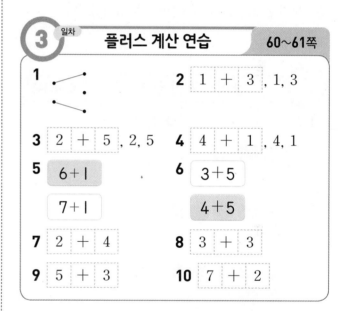

1 (선 잇기)

2 1 + 3 , 1, 3

3 2 + 5 , 2, 5

4 4 + 1 , 4, 1

5 6+1 / 7+1

6 3+5 / 4+5

7 2 + 4

8 3 + 3

9 5 + 3

10 7 + 2

2 새 1마리와 3마리를 더하기로 나타내면 1+3입니다.
1+3은 1 더하기 3이라고 읽습니다.

3 새 2마리와 5마리를 더하기로 나타내면 2+5입니다.
2+5는 2 더하기 5라고 읽습니다.

4 새 4마리와 1마리를 더하기로 나타내면 4+1입니다.
4+1은 4 더하기 1이라고 읽습니다.

5 판다 6마리와 코알라 1마리를 더하기로 나타내면 6+1입니다.

6 원숭이 4마리와 양 5마리를 더하기로 나타내면 4+5입니다.

정답과 해설

4 일차 기초 계산 연습 62~63쪽

- ① 2
- ② 3
- ③ 4
- ④ 5
- ⑤ 4
- ⑥ 6
- ⑦ 7
- ⑧ 7, 8
- ⑨ 4, 5
- ⑩ 8, 9

- ① 오리 1마리와 1마리를 더하면 모두 2마리입니다.
- ④ 오리 4마리와 1마리를 더하면 모두 5마리입니다.
- ⑤ 모자 3개와 1개를 더하면 모두 4개입니다.
- ⑧ 모자 7개와 1개를 더하면 모두 8개입니다.
- ⑨ 모자 4개와 1개를 더하면 모두 5개입니다.
- ⑩ 모자 8개와 1개를 더하면 모두 9개입니다.

4 일차 플러스 계산 연습 64~65쪽

1 5 ; 1, 5   **2** 1, 7 ; 6, 7

3 3,

4 6,

5 8,

6 $3+1=4$ **7** $4+1=5$

$2+1=3$ $5+1=6$

8 2   **9** 8, 9

1 ■ + ▲ = ●
➡ ■ 더하기 ▲는 ●와 같습니다.

3 색칠한 ○ 2개에 이어서 1개를 더 색칠하면 모두 3개입니다. ➡ $2+1=3$

4 색칠한 ○ 5개에 이어서 1개를 더 색칠하면 모두 6개입니다. ➡ $5+1=6$

5 색칠한 ○ 7개에 이어서 1개를 더 색칠하면 모두 8개입니다. ➡ $7+1=8$

- ⑥ 문어 3마리가 있는 데 1마리가 더 와서 모두 4마리가 되었습니다. ➡ $3+1=4$
- ⑦ 해마 5마리가 있는 데 1마리가 더 와서 모두 6마리가 되었습니다. ➡ $5+1=6$
- ⑧ (오이 수)＋(당근 수)＝$1+1=2$(개)
- ⑨ (호박 수)＋(가지 수)＝$8+1=9$(개)

5 일차 기초 계산 연습 66~67쪽

- ① 4
- ② 5
- ③ 6
- ④ 7
- ⑤ 5
- ⑥ 8
- ⑦ 9
- ⑧ 2, 4
- ⑨ 5, 7
- ⑩ 4, 6

- ① 크레파스 2개와 2개를 더하면 모두 4개입니다.
- ④ 크레파스 5개와 2개를 더하면 모두 7개입니다.
- ⑤ 머리핀 3개와 단추 2개를 더하면 모두 5개입니다.
- ⑧ 머리핀 2개와 단추 2개를 더하면 모두 4개입니다.
- ⑨ 머리핀 5개와 단추 2개를 더하면 모두 7개입니다.
- ⑩ 머리핀 4개와 단추 2개를 더하면 모두 6개입니다.

5 일차 플러스 계산 연습 68~69쪽

1 3 ; 2, 3   **2** 2, 9 ; 7, 9

3 4,

4 6,

5 8,

6 $4+2=6$ **7** $6+2=8$

$3+2=5$ $5+2=7$

8 6   **9** 7, 9

3 ○ 2개에 이어서 2개를 더 그리면 모두 4개입니다.
➡ 2+2=4

4 ○ 4개에 이어서 2개를 더 그리면 모두 6개입니다.
➡ 4+2=6

5 ○ 6개에 이어서 2개를 더 그리면 모두 8개입니다.
➡ 6+2=8

6 외계인 3명이 있는 데 2명이 더 와서 모두 5명이
되었습니다. ➡ 3+2=5

7 우주선 5대가 있는 데 2대가 더 와서 모두 7대가
되었습니다. ➡ 5+2=7

8 (사탕 수)+(젤리 수)=4+2=6(개)

9 (초콜릿 수)+(껌 수)=7+2=9(개)

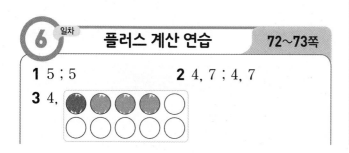

6 일차 　**기초 계산 연습**　　**70~71쪽**

❶ 5　　　❷ 6　　　❸ 8
❹ 9　　　❺ 5　　　❻ 7
❼ 7　　　❽ 2, 6　　　❾ 6, 9
❿ 5, 8

❶ 참외 2개와 파인애플 3개를 더하면 모두 5개입니다.

❹ 참외 5개와 파인애플 4개를 더하면 모두 9개입니다.

❺ 크레파스 1개와 4개를 더하면 모두 5개입니다.

❽ 크레파스 2개와 4개를 더하면 모두 6개입니다.

❾ 크레파스 6개와 3개를 더하면 모두 9개입니다.

❿ 크레파스 5개와 3개를 더하면 모두 8개입니다.

6 일차 　**플러스 계산 연습**　　**72~73쪽**

1 5 ; 5　　　　　**2** 4, 7 ; 4, 7

3 4,

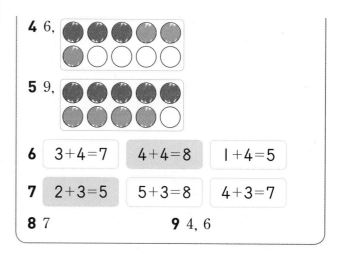

4 6,

5 9,

6 | 3+4=7 | 4+4=8 | 1+4=5 |

7 | 2+3=5 | 5+3=8 | 4+3=7 |

8 7　　　　　　　　**9** 4, 6

3 색칠한 ○ 1개에 이어서 3개를 더 색칠하면 모두
4개입니다. ➡ 1+3=4

4 색칠한 ○ 3개에 이어서 3개를 더 색칠하면 모두
6개입니다. ➡ 3+3=6

5 색칠한 ○ 5개에 이어서 4개를 더 색칠하면 모두
9개입니다. ➡ 5+4=9

6 다람쥐 4마리가 있는 데 4마리가 더 와서 모두
8마리가 되었습니다. ➡ 4+4=8

7 돼지 2마리가 있는 데 3마리가 더 와서 모두 5마리
가 되었습니다. ➡ 2+3=5

8 (염소 수)+(오리 수)=4+3=7(마리)

9 (늑대 수)+(여우 수)=2+4=6(마리)

7 일차 　**기초 계산 연습**　　**74~75쪽**

❶ 7　　　❷ 8　　　❸ 8
❹ 9　　　❺ 7　　　❻ 8
❼ 9　　　❽ 3, 9　　　❾ 1, 6
❿ 2, 9

❶ 닭 2마리와 홍학 5마리를 더하면 모두 7마리입니다.

❹ 닭 1마리와 홍학 8마리를 더하면 모두 9마리입니다.

❺ 지우개 1개와 풀 6개를 더하면 모두 7개입니다.

❽ 지우개 3개와 풀 6개를 더하면 모두 9개입니다.

❾ 지우개 1개와 풀 5개를 더하면 모두 6개입니다.

❿ 지우개 2개와 풀 7개를 더하면 모두 9개입니다.

정답과 해설

1 7 ; 7   **2** 7, 8 ; 7, 8

3 6,

4 9,

5 9,

6 $1+6=7$ $2+6=8$ $1+5=6$

7 $1+7=8$ $2+6=8$ $2+7=9$

8 8   **9** 8, 9

3 ○ 1개에 이어서 5개를 더 그리면 모두 6개입니다.
➡ $1+5=6$

4 ○ 4개에 이어서 5개를 더 그리면 모두 9개입니다.
➡ $4+5=9$

5 ○ 3개에 이어서 6개를 더 그리면 모두 9개입니다.
➡ $3+6=9$

6 닭 1마리와 오리 6마리가 있으므로 모두 7마리입니다. ➡ $1+6=7$

7 기린 2마리와 얼룩말 7마리가 있으므로 모두 9마리입니다. ➡ $2+7=9$

8 (멜론 수)＋(자두 수)＝$3+5=8$(개)

9 (망고 수)＋(레몬 수)＝$1+8=9$(개)

❶ 5   ❷ 6   ❸ 4
❹ 7   ❺ 3   ❻ 5
❼ 9   ❽ 6   ❾ 4
❿ 8   ⓫ 8   ⓬ 3
⓭ 6   ⓮ 6   ⓯ 8
⓰ 5   ⓱ 8   ⓲ 9
⓳ 7   ⓴ 9

❸ 1과 3을 모으기 하면 4가 됩니다.

❹ 5와 2를 모으기 하면 7이 됩니다.

❺ 1과 2를 모으기 하면 3이 됩니다.

❻ 4와 1을 모으기 하면 5가 됩니다.

❼ 3과 6을 모으기 하면 9가 됩니다.

❽ 3과 3을 모으기 하면 6이 됩니다.

❾ 2와 2를 모으기 하면 4가 됩니다.

❿ 7과 1을 모으기 하면 8이 됩니다.

⓫ 3과 5를 모으기 하면 8이 됩니다.

1 7 ; 1, 7 ; 7   **2** 5 ; 3, 2, 5 ; 5
3 8 ; 7, 8 ; 8   **4** 4 ; 1, 3, 4 ; 4

1 (양파 수)＋(가지 수)＝$6+1=7$(개)

2 (무 수)＋(당근 수)＝$3+2=5$(개)

3 (머핀 수)＋(바게트 수)＝$7+1=8$(개)

4 (샌드위치 수)＋(도넛 수)＝$1+3=4$(개)

창의**1** 2, 6 ; 6, 1, 7
창의**2** (위부터) 4, 4, 5, 8

창의**1** 현우: 4계단
희재: $4+2=6$(계단)
수영: $6+1=7$(계단)

창의**2**

1	+	3	=	①
+		+		+
2	+	2	=	②
=		=		=
3	+	③	=	④

① $1+3=4$
② $2+2=4$
③ $3+2=5$
④ $4+4=8$ 또는 $3+5=8$

✲ 개념 ○✕ 퀴즈 정답

○   **✕**

10

3 9까지 수의 뺄셈

✳ 개념 ⃝✕ 퀴즈

옳으면 ⃝에, 틀리면 ✕에 ⃝표 하세요.

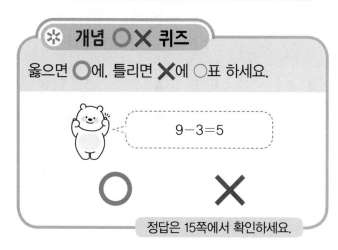

$$9-3=5$$

⃝   ✕

정답은 15쪽에서 확인하세요.

---

1 일차 **기초 계산 연습** 86~87쪽

❶ 3   ❷ 1
❸ 3   ❹ 2
❺ 2에 ⃝표   ❻ 2에 ⃝표
❼ 4에 ⃝표   ❽ 4에 ⃝표
❾ 5에 ⃝표   ❿ 3에 ⃝표
⓫ 6에 ⃝표   ⓬ 5에 ⃝표

❶ 남은 파프리카를 세어 보면 셋이므로 3입니다.

❷ 남은 양파를 세어 보면 하나이므로 1입니다.

❺ 남은 과자를 세어 보면 둘이므로 2입니다.

❼ 남은 과자를 세어 보면 넷이므로 4입니다.

❾ 남은 과자를 세어 보면 다섯이므로 5입니다.

⓫ 남은 과자를 세어 보면 여섯이므로 6입니다.

---

1 일차 **플러스 계산 연습** 88~89쪽

1 (선 잇기)   **2** 1
                         3 2
                         4 4
5 7   **6** 3
7 4   **8** 7
9 2   **10** 4

---

2 남은 구슬을 세어 보면 하나이므로 1입니다.

4 남은 구슬을 세어 보면 넷이므로 4입니다.

6 터지고 남은 풍선을 세어 보면 셋이므로 3개입니다.

7 터지고 남은 풍선을 세어 보면 넷이므로 4개입니다.

8 터지고 남은 풍선을 세어 보면 일곱이므로 7개입니다.

9 남은 케이크를 세어 보면 둘이므로 2조각입니다.

10 남은 빵을 세어 보면 넷이므로 4개입니다.

---

2 일차 **기초 계산 연습** 90~91쪽

❶ ⃝⃝, 2   ❷ ⃝, 1
❸ ⃝⃝, 2   ❹ ⃝⃝⃝⃝⃝, 4
❺ 2   ❻ 4
❼ 3   ❽ 2
❾ 3, 5   ❿ 6, 3

❶ 구슬 3개는 1개와 2개로 가르기 할 수 있으므로 ⃝를 2개 그립니다.

❷ 구슬 4개는 3개와 1개로 가르기 할 수 있으므로 ⃝를 1개 그립니다.

❸ 구슬 6개는 2개와 4개로 가르기 할 수 있으므로 ⃝를 2개 그립니다.

❾ 구슬 8개는 3개와 5개로 가르기 할 수 있습니다.

❿ 구슬 9개는 6개와 3개로 가르기 할 수 있습니다.

---

2 일차 **플러스 계산 연습** 92~93쪽

1 1   **2** 3
3 3   **4** 6
5 5   **6** 2
7 ⃝⃝⃝⃝   **8** ⃝⃝⃝
9 ⃝⃝⃝⃝⃝⃝   **10** ⃝⃝⃝⃝⃝
11 2   **12** 4

1 3은 2와 1로 가르기 할 수 있습니다.

2 5는 3과 2로 가르기 할 수 있습니다.

3 4는 1과 3으로 가르기 할 수 있습니다.

4 7은 6과 1로 가르기 할 수 있습니다.

5 6은 5와 1로 가르기 할 수 있습니다.

6 9는 2와 7로 가르기 할 수 있습니다.

7 빵 6개는 2개와 4개로 가르기 할 수 있으므로 ○를 4개 그립니다.

8 빵 7개는 4개와 3개로 가르기 할 수 있으므로 ○를 3개 그립니다.

9 빵 8개는 2개와 6개로 가르기 할 수 있으므로 ○를 6개 그립니다.

10 빵 9개는 4개와 5개로 가르기 할 수 있으므로 ○를 5개 그립니다.

③ 일차 **기초 계산 연습** 94~95쪽

❶ 2 − 1   ❷ 3 − 2
❸ 4 − 2   ❹ 4 − 3
❺ 4 − 1   ❻ 5 − 1
❼ 6 − 4   ❽ 7 − 3
❾ 9 − 6

❷ 구슬 3개에서 2개를 덜어 냈으므로 3−2입니다.

❸ 구슬 4개에서 2개를 덜어 냈으므로 4−2입니다.

❹ 구슬 4개에서 3개를 덜어 냈으므로 4−3입니다.

❻ 연필 5자루와 지우개 1개를 짝지어 비교하면 5−1입니다.

❼ 연필 6자루와 지우개 4개를 짝지어 비교하면 6−4입니다.

❽ 연필 7자루와 지우개 3개를 짝지어 비교하면 7−3입니다.

❾ 연필 9자루와 지우개 6개를 짝지어 비교하면 9−6입니다.

③ 일차 **플러스 계산 연습** 96~97쪽

1
2 3 − 1 , 3, 1
3 6 − 1 , 6, 1   **4** 7 − 3 , 7, 3
5 8−1   8−2   **6** 9−1   9−2
7 9−3   9−4   **8** 8−3   8−4
9 2 − 1   **10** 5 − 4

2 가방 3개 중 1개를 지웠으므로 3−1입니다.
3−1은 3 빼기 1이라고 읽습니다.

3 동화책 6권 중 1권을 지웠으므로 6−1입니다.
6−1은 6 빼기 1이라고 읽습니다.

4 필통 7개 중 3개를 지웠으므로 7−3입니다.
7−3은 7 빼기 3이라고 읽습니다.

5 연못에 있는 오리 8마리 중 1마리가 나왔으므로 8−1입니다.

6 연못에 있는 오리 9마리 중 2마리가 나왔으므로 9−2입니다.

7 연못에 있는 오리 9마리 중 3마리가 나왔으므로 9−3입니다.

8 연못에 있는 오리 8마리 중 4마리가 나왔으므로 8−4입니다.

④ 일차 **기초 계산 연습** 98~99쪽

❶ 1   ❷ 2   ❸ 3
❹ 4   ❺ 2   ❻ 3
❼ 5   ❽ 8, 7   ❾ 9, 8

❷ 불가사리 3개에서 1개를 덜어 내면 2개가 남습니다.

❽ 노란색 블록 8개와 초록색 블록 1개를 비교하면 노란색 블록이 7개 더 많습니다. ➡ 8−1=7

❾ 노란색 블록 9개와 초록색 블록 1개를 비교하면 노란색 블록이 8개 더 많습니다. ➡ 9−1=8

④ 일차 **플러스 계산 연습** 100~101쪽

1 4 ; 4   **2** 6 ; 1, 6

3 3,

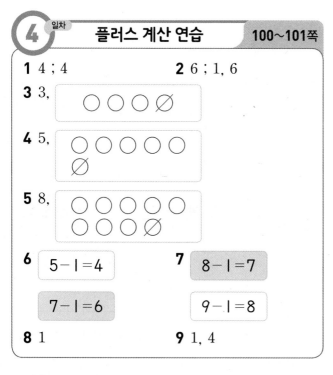

5 8,

6 5－1＝4   **7** 8－1＝7

7－1＝6   9－1＝8

8 1   **9** 1, 4

1 ■－▲＝●
➡ ■ 빼기 ▲는 ●와 같습니다.

3 ○ 4개에서 /으로 1개를 지우면 ○는 3개가 남습니다. ➡ 4－1＝3

4 ○ 6개에서 /으로 1개를 지우면 ○는 5개가 남습니다. ➡ 6－1＝5

5 ○ 9개에서 /으로 1개를 지우면 ○는 8개가 남습니다. ➡ 9－1＝8

6 풍선 7개 중 1개가 터지고 6개가 남았습니다.
➡ 7－1＝6

7 촛불 8개 중 1개가 꺼지고 7개가 남았습니다.
➡ 8－1＝7

8 (사과 수)－(귤 수)＝2－1＝1(개)

9 (복숭아 수)－(배 수)＝5－1＝4(개)

⑤ 일차 **기초 계산 연습** 102~103쪽

❶ 1   **❷** 2   **❸** 3

❹ 4   **❺** 1   **❻** 3

❼ 5   **❽** 8, 6   **❾** 9, 7

❶ 닭 3마리에서 2마리를 덜어 내면 1마리가 남습니다.

❷ 병아리 4마리에서 2마리를 덜어 내면 2마리가 남습니다.

❽ ▨ 모양 8개와 ● 모양 2개를 비교하면 ▨ 모양이 6개 더 많습니다. ➡ 8－2＝6

❾ ▨ 모양 9개와 ● 모양 2개를 비교하면 ▨ 모양이 7개 더 많습니다. ➡ 9－2＝7

⑤ 일차 **플러스 계산 연습** 104~105쪽

1 2 ; 2   **2** 2, 6 ; 2, 6

3 3,

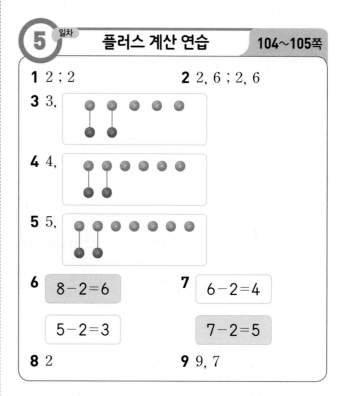

4 4,

5 5,

6 8－2＝6   **7** 6－2＝4

5－2＝3   7－2＝5

8 2   **9** 9, 7

3 초록색 구슬 5개와 파란색 구슬 2개를 하나씩 짝 지으면 초록색 구슬 3개가 남습니다.
➡ 5－2＝3

4 초록색 구슬 6개와 파란색 구슬 2개를 하나씩 짝 지으면 초록색 구슬 4개가 남습니다.
➡ 6－2＝4

5 초록색 구슬 7개와 파란색 구슬 2개를 하나씩 짝 지으면 초록색 구슬 5개가 남습니다.
➡ 7－2＝5

6 줄을 서 있는 사람 8명 중 2명이 돌아가고 6명이 남았습니다. ➡ 8－2＝6

7 놀고 있는 아이 7명 중 2명이 돌아가고 5명이 남았습니다. ➡ 7－2＝5

9 (남은 우유의 양)
＝(처음 우유의 양)－(마신 우유의 양)
＝9－2＝7(컵)

정답과 해설

6 일차 기초 계산 연습 106~107쪽

① 1	② 3	③ 1
④ 3	⑤ 2	⑥ 2
⑦ 4	⑧ 8, 4	⑨ 9, 6

① 파랑새 4마리에서 3마리를 덜어 내면 1마리가 남습니다.

② 빨강새 6마리에서 3마리를 덜어 내면 3마리가 남습니다.

⑧ 강낭콩 8개와 완두콩 4개를 비교하면 강낭콩이 4개 더 많습니다. → 8−4=4

⑨ 강낭콩 9개와 완두콩 3개를 비교하면 강낭콩이 6개 더 많습니다. → 9−3=6

6 일차 플러스 계산 연습 108~109쪽

1 1 ; 1   **2** 2 ; 2

3 5,

4 3,

5 5,

6 5−3=2	7−3=4	8−3=5
7 4−3=1	6−3=3	9−3=6

8 1   **9** 3, 6

3 ○ 8개에서 /으로 3개를 지우면 ○는 5개가 남습니다. → 8−3=5

4 ○ 7개에서 /으로 4개를 지우면 ○는 3개가 남습니다. → 7−4=3

5 ○ 9개에서 /으로 4개를 지우면 ○는 5개가 남습니다. → 9−4=5

6 코끼리 5마리 중 3마리가 돌아가서 2마리가 남았습니다. → 5−3=2

7 판다 6마리 중 3마리가 돌아가서 3마리가 남았습니다. → 6−3=3

8 (접시 수)−(병 수)=5−4=1(개)

9 (컵 수)−(쟁반 수)=9−3=6(개)

7 일차 기초 계산 연습 110~111쪽

① 3	② 2	③ 2
④ 1	⑤ 1	⑥ 2
⑦ 1	⑧ 9, 3	⑨ 9, 4

① 노란색 크레파스 8개에서 5개를 덜어 내면 3개가 남습니다.

② 초록색 크레파스 8개에서 6개를 덜어 내면 2개가 남습니다.

⑧ 축구공 9개와 농구공 6개를 비교하면 축구공이 3개 더 많습니다. → 9−6=3

⑨ 축구공 9개와 농구공 5개를 비교하면 축구공이 4개 더 많습니다. → 9−5=4

7 일차 플러스 계산 연습 112~113쪽

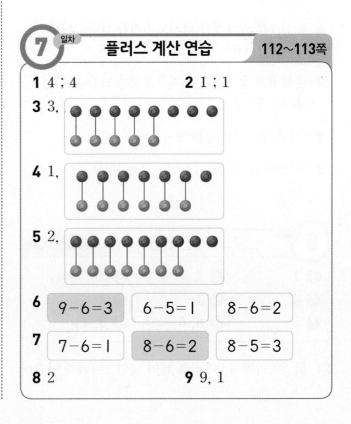

1 4 ; 4   **2** 1 ; 1

3 3,

4 1,

5 2,

6 9−6=3	6−5=1	8−6=2
7 7−6=1	8−6=2	8−5=3

8 2   **9** 9, 1

3 주황색 구슬 8개와 초록색 구슬 5개를 하나씩 짝 지으면 주황색 구슬 3개가 남습니다.
➡ $8-5=3$

4 주황색 구슬 7개와 초록색 구슬 6개를 하나씩 짝 지으면 주황색 구슬 1개가 남습니다.
➡ $7-6=1$

5 주황색 구슬 9개와 초록색 구슬 7개를 하나씩 짝 지으면 주황색 구슬 2개가 남습니다.
➡ $9-7=2$

6 새 9마리 중 6마리가 날아가고 3마리가 남았습니다. ➡ $9-6=3$

7 거북 8마리 중 6마리가 바다로 돌아가고 2마리가 남았습니다. ➡ $8-6=2$

8 (남은 사탕 수)
= (처음 사탕 수) − (먹은 사탕 수)
= $7-5=2$(개)

9 (남은 젤리 수)
= (처음 젤리 수) − (먹은 젤리 수)
= $9-8=1$(개)

평가 SPEED 연산력 TEST 114~115쪽

① 2 ② 4 ③ 1
④ 1 ⑤ 1 ⑥ 4
⑦ 2 ⑧ 6 ⑨ 5
⑩ 3 ⑪ 5 ⑫ 4
⑬ 3 ⑭ 1 ⑮ 3
⑯ 2 ⑰ 8 ⑱ 2
⑲ 3 ⑳ 4

① 남은 자동차를 세어 보면 둘이므로 2입니다.

② 남은 자동차를 세어 보면 넷이므로 4입니다.

③ 2는 1과 1로 가르기 할 수 있습니다.

④ 4는 3과 1로 가르기 할 수 있습니다.

⑤ 3은 2와 1로 가르기 할 수 있습니다.

⑥ 5는 1과 4로 가르기 할 수 있습니다.

⑦ 6은 4와 2로 가르기 할 수 있습니다.

---

⑧ 7은 1과 6으로 가르기 할 수 있습니다.

⑨ 7은 2와 5로 가르기 할 수 있습니다.

⑩ 9는 6과 3으로 가르기 할 수 있습니다.

⑪ 8은 3과 5로 가르기 할 수 있습니다.

특강 문장제 문제 도전하기 116~117쪽

1 2 ; 2 ; 2 **2** 4 ; 6, 2, 4 ; 4
3 1 ; 4, 1 ; 1 **4** 2 ; 9, 7, 2 ; 2

1 (빗자루 수) − (쓰레받이 수) = $3-1=2$(개)

2 (비누 수) − (세제 수) = $6-2=4$(개)

3 (크림빵 수) − (도넛 수) = $5-4=1$(개)

4 (소시지빵 수) − (머핀 수) = $9-7=2$(개)

특강 창의·융합·코딩·도전하기 118~119쪽

창의**1** 5, 1
창의**2** (위부터) 3, 2, 4, 1

창의**1**
• 1층에서 6명이 탔고, 2층에서는 아무도 안 타고 안 내렸으므로 2층에서 엘리베이터에 타고 있는 사람은 6명입니다.
• 3층에서 아무도 안 타고 5명이 내렸으므로 3층에서 엘리베이터에 남은 사람은
$6-5=1$(명)입니다.

창의**2**

① $9-6=3$
② $4-2=2$
③ $6-2=4$
④ $3-2=1$ 또는 $5-4=1$

✳ 개념 ⭕❌ 퀴즈 정답

$9-3=6$입니다.

4 20까지의 수

✳ 개념 ○✗ 퀴즈

옳으면 ○에, 틀리면 ✗에 ○표 하세요.

9보다 1만큼 더 큰 수를 10이라고 합니다.

○ ✗

정답은 20쪽에서 확인하세요.

---

1 일차 기초 계산 연습 122~123쪽

❶ 10, 10, 10
❷ 10, 10, 10
❸ 10, 10, 10
❹ 10
❺ 10
❻ 10
❼ 10
❽ 4
❾ 2
❿ 9
⓫ 3

❹ 야구공 7개와 배드민턴공 3개를 모으기 하면 10개가 됩니다.

❺ 강아지 4마리와 고양이 6마리를 모으기 하면 10마리가 됩니다.

❻ 펭귄 인형 5개와 토끼 인형 5개를 모으기 하면 10개가 됩니다.

❼ 수박 1개와 귤 9개를 모으기 하면 10개가 됩니다.

❽ 색연필 10자루는 빨간색 색연필 6자루와 파란색 색연필 4자루로 가르기 할 수 있습니다.

❾ 우유 10개는 딸기우유 8개와 초코우유 2개로 가르기 할 수 있습니다.

❿ 자동차 10대는 연두색 자동차 9대와 보라색 자동차 1대로 가르기 할 수 있습니다.

⓫ 비행기 10대는 주황색 비행기 3대와 하늘색 비행기 7대로 가르기 할 수 있습니다.

---

1 일차 플러스 계산 연습 124~125쪽

1 10
2 10
3 10
4 7
5 4
6 9

7

8

9

10 열에 ○표
11 십에 ○표
12 십에 ○표
13 열에 ○표
14 10
15 10
16 10
17 5

1 2와 8을 모으기 하면 10이 됩니다.

2 5와 5를 모으기 하면 10이 됩니다.

3 7과 3을 모으기 하면 10이 됩니다.

4 10은 7과 3으로 가르기 할 수 있습니다.

5 10은 6과 4로 가르기 할 수 있습니다.

6 10은 9와 1로 가르기 할 수 있습니다.

16 야구 글러브 4개와 6개를 모으기 하면 야구 글러브 10개가 됩니다.

17 풀 10개는 5개와 5개로 가르기 할 수 있습니다.

---

2 일차 기초 계산 연습 126~127쪽

❶ 11, 11, 11, 11
❷ 12, 12, 12, 12
❸ 13, 13, 13, 13
❹ 14, 14, 14, 14
❺ 15, 15
❻ 16, 16
❼ 17, 17
❽ 18, 18
❾ 19, 19
❿ 20, 20

② 일차 플러스 계산 연습 128~129쪽

1 십이, 열둘   **2** 십사, 열넷

3 십구, 열아홉   **4** 십칠, 열일곱

5

6

7

8 십삼에 ◯표   **9** 열일곱에 ◯표

10 열다섯에 ◯표   **11** 이십에 ◯표

12 십팔, 열여덟   **13** 십육, 열여섯

14 십구, 열아홉   **15** 십칠, 열일곱

---

1 12는 십이 또는 열둘이라고 읽습니다.

2 14는 십사 또는 열넷이라고 읽습니다.

3 19는 십구 또는 열아홉이라고 읽습니다.

4 17은 십칠 또는 열일곱이라고 읽습니다.

12 18 ➡ 십팔, 열여덟

13 16 ➡ 십육, 열여섯

14 19 ➡ 십구, 열아홉

15 17 ➡ 십칠, 열일곱

③ 일차 기초 계산 연습 130~131쪽

❶ 14에 ◯표   ❷ 16에 ◯표

❸ 12에 ◯표   ❹ 17에 ◯표

❺ 11에 ◯표   ❻ 13에 ◯표

❼ 18   ❽ 16

❾ 17   ❿ 19

⓫ 19   ⓬ 18

---

❶ 빵을 세어 보면 열넷이므로 14에 ◯표 합니다.

❷ 빵을 세어 보면 열여섯이므로 16에 ◯표 합니다.

❸ 빵을 세어 보면 열둘이므로 12에 ◯표 합니다.

❹ 빵을 세어 보면 열일곱이므로 17에 ◯표 합니다.

❺ 버섯을 세어 보면 열하나이므로 11에 ◯표 합니다.

❻ 마늘을 세어 보면 열셋이므로 13에 ◯표 합니다.

❼ 사탕을 세어 보면 열여덟이므로 18입니다.

❽ 사탕을 세어 보면 열여섯이므로 16입니다.

❾ 사탕을 세어 보면 열일곱이므로 17입니다.

❿ 사탕을 세어 보면 열아홉이므로 19입니다.

⓫ 초콜릿을 세어 보면 열아홉이므로 19입니다.

⓬ 쿠키를 세어 보면 열여덟이므로 18입니다.

③ 일차 플러스 계산 연습 132~133쪽

1 13   **2** 16

3 17   **4** 15

5 14   **6** 19

7 15   **8** 16

9 11   **10** 15

11 18   **12** 19

13 12, 11   **14** 13, 12

---

1 달걀을 세어 보면 열셋이므로 13입니다.

2 달걀을 세어 보면 열여섯이므로 16입니다.

3 달걀을 세어 보면 열일곱이므로 17입니다.

4 달걀을 세어 보면 열다섯이므로 15입니다.

5 달걀을 세어 보면 열넷이므로 14입니다.

6 달걀을 세어 보면 열아홉이므로 19입니다.

7 달걀을 세어 보면 열다섯이므로 15입니다.

8 달걀을 세어 보면 열여섯이므로 16입니다.

정답과 해설

4 일차 기초 계산 연습 134~135쪽

❶ 12		❷ 1, 5, 15	
❸ 1, 7, 17		❹ 1, 6, 16	
❺ 11		❻ 13	
❼ 14		❽ 16	
❾ 18		❿ 12	
⓫ 17		⓬ 15	
⓭ 19		⓮ 20	

❶ 10개씩 묶음 1개와 낱개 2개이므로 12입니다.

❷ 10개씩 묶음 1개와 낱개 5개이므로 15입니다.

❸ 10개씩 묶음 1개와 낱개 7개이므로 17입니다.

❹ 10개씩 묶음 1개와 낱개 6개이므로 16입니다.

❺ 10개씩 묶음 1개와 낱개 1개이므로 11입니다.

❻ 10개씩 묶음 1개와 낱개 3개이므로 13입니다.

❼ 10개씩 묶음 1개와 낱개 4개이므로 14입니다.

❽ 10개씩 묶음 1개와 낱개 6개이므로 16입니다.

❾ 10개씩 묶음 1개와 낱개 8개이므로 18입니다.

❿ 10개씩 묶음 1개와 낱개 2개이므로 12입니다.

⓫ 10개씩 묶음 1개와 낱개 7개이므로 17입니다.

⓬ 10개씩 묶음 1개와 낱개 5개이므로 15입니다.

⓭ 10개씩 묶음 1개와 낱개 9개이므로 19입니다.

⓮ 10개씩 묶음 2개와 낱개 0개이므로 20입니다.

4 일차 플러스 계산 연습 136~137쪽

1 13		2 16	
3 11		4 18	
5 1, 8		6 1, 6	
7 15		8 12	
9 19		10 17	
11 14		12 19	
13 18		14 16	

1 10개씩 묶음 1개와 낱개 3개이므로 13입니다.

2 10개씩 묶음 1개와 낱개 6개이므로 16입니다.

3 10개씩 묶음 1개와 낱개 1개이므로 11입니다.

4 10개씩 묶음 1개와 낱개 8개이므로 18입니다.

5 18은 10개씩 묶음 1개와 낱개 8개로 나타낼 수 있습니다.

6 16은 10개씩 묶음 1개와 낱개 6개로 나타낼 수 있습니다.

7 10원짜리 동전 1개와 1원짜리 동전 5개이므로 15원입니다.

8 10원짜리 동전 1개와 1원짜리 동전 2개이므로 12원입니다.

9 10원짜리 동전 1개와 1원짜리 동전 9개이므로 19원입니다.

10 10원짜리 동전 1개와 1원짜리 동전 7개이므로 17원입니다.

11 10개씩 묶음 1개와 낱개 4개는 14입니다.

12 10개씩 묶음 1개와 낱개 9개는 19입니다.

13 10개씩 묶음 1개와 낱개 8개는 18입니다.

14 10개씩 묶음 1개와 낱개 6개는 16입니다.

5 일차 기초 계산 연습 138~139쪽

❶ 14		❷ 11, 12	
❸ 14, 17		❹ 12, 14, 15	
❺ 12, 13, 14, 15		❻ 17, 18, 19	
❼ 12		❽ 16	
❾ 16		❿ 19	
⓫ 18		⓬ 15	

❶ 13 다음의 수는 14입니다.

❷ 10 다음의 수는 11, 11 다음의 수는 12입니다.

❸ 15 바로 앞의 수는 14, 16 다음의 수는 17입니다.

❹ 11 다음의 수는 12, 13 다음의 수는 14, 14 다음의 수는 15입니다.

❺ 11 다음의 수는 12, 12 다음의 수는 13, 13 다음의 수는 14, 14 다음의 수는 15입니다.

❻ 16 다음의 수는 17, 17 다음의 수는 18, 18 다음의 수는 19입니다.

❼ 11 다음의 수는 12입니다.

❽ 17 바로 앞의 수는 16입니다.

❾ 15 다음의 수는 16입니다.

❿ 18 다음의 수는 19입니다.

⓫ 17 다음의 수는 18입니다.

⓬ 14 다음의 수는 15입니다.

---

⑤ 일차   **플러스 계산 연습**   *140~141쪽*

1 12, 13, 15, 17, 19, 20
2 11, 12, 14, 16, 18, 19
3 19, 17, 15, 13
4 20, 18, 16, 14, 12, 11
5

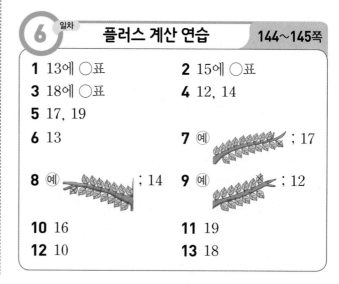

6 12   **7** 19
8 16   **9** 15

6 수를 순서대로 쓰면 11, 12, 13이므로 11 다음에는 12입니다.

7 수를 순서대로 쓰면 17, 18, 19이므로 18 다음에는 19입니다.

8 수를 순서대로 쓰면 14, 15, 16이므로 15 다음에는 16입니다.

9 수를 순서대로 쓰면 13, 14, 15이므로 14 다음에는 15입니다.

---

⑥ 일차   **기초 계산 연습**   *142~143쪽*

❶ 15   **❷** 17
❸ 12   **❹** 14
❺ 16   **❻** 12
❼ 11   **❽** 18
❾ 15, 17   **❿** 17, 19

❶ 14보다 1만큼 더 큰 수는 14 다음의 수인 15입니다.

❷ 16보다 1만큼 더 큰 수는 16 다음의 수인 17입니다.

❸ 11보다 1만큼 더 큰 수는 11 다음의 수인 12입니다.

❹ 13보다 1만큼 더 큰 수는 13 다음의 수인 14입니다.

❺ 17보다 1만큼 더 작은 수는 17 바로 앞의 수인 16입니다.

❻ 13보다 1만큼 더 작은 수는 13 바로 앞의 수인 12입니다.

❼ 12보다 1만큼 더 작은 수는 12 바로 앞의 수인 11입니다.

❽ 19보다 1만큼 더 작은 수는 19 바로 앞의 수인 18입니다.

---

⑥ 일차   **플러스 계산 연습**   *144~145쪽*

1 13에 ○표   **2** 15에 ○표
3 18에 ○표   **4** 12, 14
5 17, 19
6 13   **7** 예   ; 17
8 예   ; 14   **9** 예   ; 12
10 16   **11** 19
12 10   **13** 18

정답과 해설

1 12보다 1만큼 더 큰 수는 12 다음의 수인 13입니다.

2 14보다 1만큼 더 큰 수는 14 다음의 수인 15입니다.

3 17보다 1만큼 더 큰 수는 17 다음의 수인 18입니다.

4 13보다 1만큼 더 작은 수는 12, 1만큼 더 큰 수는 14입니다.

5 18보다 1만큼 더 작은 수는 17, 1만큼 더 큰 수는 19입니다.

6 14보다 1만큼 더 작은 수는 13입니다.

7 18보다 1만큼 더 작은 수는 17입니다.

8 15보다 1만큼 더 작은 수는 14입니다.

9 13보다 1만큼 더 작은 수는 12입니다.

10 15보다 1만큼 더 큰 수는 15 다음의 수인 16입니다.

11 18보다 1만큼 더 큰 수는 18 다음의 수인 19입니다.

12 11보다 1만큼 더 작은 수는 11 바로 앞의 수인 10입니다.

13 19보다 1만큼 더 작은 수는 19 바로 앞의 수인 18입니다.

13 19보다 1만큼 더 작은 수는 18, 1만큼 더 큰 수는 20입니다.

15 16부터 순서대로 쓰면 16−17−18−19−20 입니다.

특강 | **문장제 문제 도전하기** | **148~149쪽**

1 17 ; 17 **2** 14 ; 14
3 19 ; 19 **4** 11
5 16 **6** 20

4 12보다 1만큼 더 작은 수는 12 바로 앞의 수인 11입니다.

5 15보다 1만큼 더 큰 수는 15 다음의 수인 16입니다.

6 19보다 1만큼 더 큰 수는 19 다음의 수인 20입니다.

특강 | **창의·융합·코딩·도전하기** | **150~151쪽**

융합1 12, 11, 13

창의2

융합1
• 세 선수의 나이는 11살, 12살, 13살로 모두 다릅니다.
• 김민수 선수는 이영우 선수보다 어립니다.
• 정재호 선수는 이영우 선수보다 1살 더 많습니다.

➡ 김민수 선수: 11살, 이영우 선수: 12살, 정재호 선수: 13살

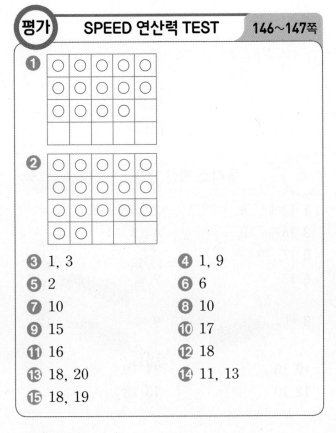

평가 | **SPEED 연산력 TEST** | **146~147쪽**

❸ 1, 3   ❹ 1, 9
❺ 2   ❻ 6
❼ 10   ❽ 10
❾ 15   ❿ 17
⓫ 16   ⓬ 18
⓭ 18, 20   ⓮ 11, 13
⓯ 18, 19

✳ 개념 ◯✕ 퀴즈 정답

◎   ✕

20

정답과 해설

수학 문제해결력 강화 교재

AI인공지능을 이기는 인간의 **독해력 + 창의·사고력 UP**

수학도
독해가 힘이다

새로운 유형	취약점 보완	체계적 시스템
문장제, 서술형, 사고력 문제 등 까다로운 유형의 문제를 쉬운 해결전략으로 연습	연산·기본 문제는 잘 풀지만, 문장제나 사고력 문제를 힘들어하는 학생들을 위한 맞춤 교재	문제해결력 – 수학 사고력 – 수학 독해력 – 창의·융합·코딩으로 이어지는 체계적 커리큘럼

수학도 독해가 필수!
(초등 1~6학년 / 학기용)

정답은
이안에
있어 !

#차원이_다른_클라쓰
#강의전문교재
#초등교재

수학교재

- **수학리더 시리즈**
  - 수학리더 [개념]　　　　　　　　　1~6학년/학기별
  - 수학리더 [기본]　　　　　　　　　1~6학년/학기별
  - (신간) 수학리더 [기본＋응용]　　　　　1~6학년/학기별
  - 수학리더 [응용·심화]　　　　　　　1~6학년/학기별
  - (신간) 수학리더 [연산]　　　　예비초~6학년/A·B단계

- **닥터유형** *라이트 유형서　　　　　1~6학년/학기별

- **수학도 독해가 힘이다** *문제해결력　　1~6학년/학기별

- **수학의 힘 시리즈**
  - 수학의 힘 알파[실력]　　　　　　　3~6학년/학기별
  - 수학의 힘 베타[유형]　　　　　　　1~6학년/학기별
  - 수학의 힘 감마[최상위]　　　　　　3~6학년/학기별

- **Go! 매쓰 시리즈**
  - Go! 매쓰(Start) *교과서 개념　　　　1~6학년/학기별
  - Go! 매쓰(Run A/B/C) *교과서+사고력　1~6학년/학기별
  - Go! 매쓰(Jump) *유형 사고력　　　　1~6학년/학기별

- **계산박사**　　　　　　　　　　　1~12단계

전과목교재

- **리더 시리즈**
  - 국어　　　　　　　　　　　　　1~6학년/학기별
  - 사회　　　　　　　　　　　　　3~6학년/학기별
  - 과학　　　　　　　　　　　　　3~6학년/학기별

시험 대비교재

- **해법수학 단원마스터**　　　　　　1~6학년/학기별
- **HME 수학 학력평가**　　　　　1~6학년/상·하반기용
- **HME 국어 학력평가**　　　　　　1~6학년

논술·한자교재

- **YES 논술**　　　　　　　　　　1~6학년/총 24권
- **천재 NEW 한자능력검정시험 자격증 한번에 따기**　8~5급(총 7권) / 4급~3급(총 2권)

영어교재

- **READ ME**
  - Yellow 1~3　　　　　　　　　2~4학년(총 3권)
  - Red 1~3　　　　　　　　　　4~6학년(총 3권)

- **Listening Pop**　　　　　　　　Level 1~3

- **Grammar, ZAP!**
  - 입문　　　　　　　　　　　　1, 2단계
  - 기본　　　　　　　　　　　　1~4단계
  - 심화　　　　　　　　　　　　1~4단계

- **Grammar Tab**　　　　　　　　총 2권

- **Let's Go to the English World!**
  - Conversation　　　　　　　1~5단계 / 단계별 3권
  - Phonics　　　　　　　　　　총 4권

예비중 대비교재

- **천재 신입생 시리즈**　　　　　　수학 / 영어
- **천재 반편성 배치고사 기출 & 모의고사**

월간교재

- **NEW 해법수학**　　　　　　　　1~6학년
- **월간 무등생평가**　　　　　　　1~6학년